Y0-CBM-657

# SOMMAIRE

Arnaud Desplechin. Photo D.R.

*Paroles de cinéastes*

ARNAUD DESPLECHIN

LE RÉALISATEUR ET SON DOUBLE

entretien avec Marie-Anne Guerin

CÉDRIC KLAPISCH

CHACUN CHERCHE L'AUTRE

entretien avec Madeleine Kammoun-Carlet

OLIVIER ASSAYAS

CONVERSATION AVEC ANNE WIAZEMSKY

# ARNAUD DESPLECHIN

# LE RÉALISATEUR ET SON DOUBLE

MARIE-ANNE GUERIN : Je vous ai entendu dire avec une certaine véhémence qu'un réalisateur et un spectateur de cinéma, qui plus est un critique, faisaient le même travail, comme si l'un était le double de l'autre, inséparable. Il y a toutefois un moment où le spectateur Desplechin est devenu réalisateur. Comment cette mutation dans la continuité s'est-elle opérée ?

ARNAUD DESPLECHIN : Avec le temps. Il m'a fallu énormément de temps pour écrire mon premier film. Aujourd'hui, cela m'apparaît encore plus nécessaire, d'autant qu'il me semble que cela prend beaucoup plus de temps qu'hier d'apprendre à simplement *voir* un film.

Il fallait, m'a-t-il semblé, consacrer ce temps à faire, tout seul, un travail critique, à désapprendre une tonne d'idées reçues sur le cinéma. Je pense que, désormais, on ne peut plus vraiment apprendre en allant à la cinémathèque, ni en lisant les *Cahiers du Cinéma,* ni même *Trafic.* Le cinéma est dans une grande confusion. Par conséquent, il faut perdre un peu de temps à réfléchir – tout en écrivant – à ce qui s'est passé dans ce domaine, ces dernières années.

Sur un plan pratique, réaliser un film ne demande aucun savoir-faire précis, et c'est tant mieux. Même si, en tant que technicien, je sais faire deux ou trois choses, nous, les metteurs en scène, sommes tous des escrocs, des imposteurs. Truffaut le disait très bien. Cette longue réflexion qui précède le premier film, permet peut-être de passer outre ce sentiment d'imposture avec un peu de sérénité.

J'aime le cinéma parce qu'il n'est pas vraiment un art. Parce que c'est un spectacle, et que la fonction de metteur en scène est, selon moi, une fonction vide.

À mon sens, le cinéma s'organise autour de deux choses : un écran, et puis un point de vue. Et le second découle du premier.

À l'origine, la caméra des frères Lumière n'était pas réflexe. Il y avait donc un opérateur, qui plaçait la machine, et qui ne pouvait pas voir ce que la caméra enregistrait. Lors de la projection en salle, l'angle de prise de vue de la caméra prend tout son effet avec une force telle que cela soulève une ou deux idées chez les spectateurs, que cela produit de la pensée, et très vite, un point de vue critique, des opinions. Le public peut se demander : « *Mais, à quoi pensait-il, le type assis à côté de la caméra ?* » Quant à moi, je pense que le réalisateur est « inventé » par la salle.

Évidemment, être ontologiquement un escroc, c'est assez angoissant ! Il faut combler le vide semblable à un gouffre. Chaque cinéaste invente son propre exercice, a son « truc » et fétichise un aspect particulier pour remplir ce vide, pour engorger cette angoisse : Godard fétichise l'image, Duras, la bande-son, Syberberg, le dispositif, Truffaut, le scénario, Resnais, le montage.

Revenons à la question que vous m'avez posée ! Je suis avant tout un spectateur de films américains. C'est le cinéma américain qui m'a appris la vie et qui est également à l'origine de mon désir de faire des films.

Cependant, j'ai cru remarquer que le cinéma moderne en Europe consistait en trois grands mouvements, qui entretiennent entre eux des rapports très intimes et très conflictuels : le Néo-Réalisme, la Nouvelle Vague et une autre chose plus vaste que j'appelle, faute de mieux, le cinéma réaliste : de Pialat à Jacquot, en passant par Eustache et Doillon.

Comme je n'ai jamais rien lu de convaincant sur les parentés, les ruptures et autres conflits entre ces trois mouvements, je me suis bricolé une petite théorie personnelle. J'ai remarqué que le cinéma américain de mon enfance, celui de la côte Est pour lequel j'ai une passion, dont Sydney Lumet me semble être un des meilleurs représentants, mais aussi Mike Nichols, Sydney Pollack, Jerry Schatzberg ou Arthur Penn, était à la fois historiquement proche de, et très influencé par, la Nouvelle Vague. Ces réalisateurs partagent un même amour brûlant pour le cinéma classique américain, qui a toutefois pris, selon les pays et leurs traditions, des formes contraires.

Du côté français, un goût altier pour l'abstraction et la fantaisie. À l'inverse, du côté américain, une forme de modestie qui a consisté à minorer l'art cinématographique, à y injecter du quotidien, du social, du réel. Cette attitude américaine a permis aux genres traditionnels de se ressourcer et de refaire un tour de piste. On a assisté à un formidable renouveau. En témoignent les films de grands cinéastes comme Coppola ou Brian de Palma, entre autres. Par contre, essayez d'aller voir Doillon ou Garrel avec le scénario de *La Mariée était en noir*, ils vont vous rire au nez. Demandez à Pialat de tourner un scénario de Rivette ! Proposez à Jacquot un scénario de Resnais, il vous dira : « *D'accord, je suis audacieux mais je ne suis pas complètement fou.* » Parce qu'ils pensent tous, peu ou prou, faire du cinéma sérieux, ce qui n'était pas forcément le cas des réalisateurs de la Nouvelle Vague.

C'est drôle, car le *top* de la noblesse pour la Nouvelle Vague a semblé le *top* de l'indignité aux grands cinéastes qui leur ont succédé.

Cela montre bien à quel point cette bande de cinéastes, tellement respectée, a eu peu d'influence sur ses cadets. Ceux qui ont suivi dans les années soixante-dix n'ont retenu que la légèreté des moyens, une certaine liberté.

Alors que le cinéma américain réaliste, tellement méprisé, a eu une énorme influence. Lumet, venant de la télévision, propose une idée moins élevée du cinéma, mais il me semble que c'est au bénéfice de celui-ci, que le cinéma y gagne. J'ai plus de mal avec les réalistes français dont le postulat me semble être quelque chose comme : si le cinéma est noble, il ne peut pas s'intéresser aux petits sujets. Il va donc privilégier les grands sujets sociaux. Je ne suis pas d'accord avec cette idée qui me paraît méprisante pour le cinéma. Plus je vois ces films-là, moins je vois le monde. Je pense, par contre, que si le cinéma est noble, le sujet ne peut pas être la question.

Quand je vois *Conte d'été* d'Éric Rohmer, je trouve qu'il n'y a rien de plus beau.

Voilà comment j'ai appris à regarder les films, à les ordonner, pour arriver à remplir cette fonction de réalisateur. Cela dit, je ne sais toujours pas en quoi consiste mon autre, si c'est le théâtre, comme pour Renoir ou Rivette, la caméra, je n'en sais vraiment rien.

**Selon vous, sur quoi se bâtit un film ?**

Certainement pas sur un sujet. Je ne sais pas, j'aimerais faire des bons films, je crois.

**En revoyant vos trois films, j'ai eu le sentiment qu'ils étaient traversés par une même question anxieuse qui concerne votre lien avec la réalité du monde, du type : «** *Comment consolider ce lien grâce au film, puisque voir, entendre, regarder, écouter ne me conduisent à aucune certitude ?* **» Vous ne dites pas : «** *Ça y est, je sais, je vais montrer ce que je sais, mais plutôt, je vais d'abord montrer et peut-être après, je saurais quelque chose.* **»**

Effectivement. Peut-être cela tient-il à la genèse de ces trois films. À chaque fois, je suis parti de questions que je me posais auxquelles je ne trouvais pas de réponse. Écrire un scénario correspondait à poser la question en des termes qui me semblaient élégants, justes, cinématographiques. Réaliser le film, à trouver des éléments de réponse. C'est assez complexe parce qu'il faut bien que je veuille dire quelque chose pour m'autoriser à faire un film. Et en même temps, j'adore et j'ai besoin que le cinéma m'apprenne, me surprenne.

Si, dans un film, un geste, un dialogue n'a qu'une seule signification possible, c'est de l'illustration, c'est raté. J'ai une prédilection pour l'ambivalence, le redoublement du sens. Par exemple, c'est un principe, dès que je m'aperçois qu'un geste, une phrase signifient deux choses dans le même temps, alors que je ne l'avais pas prévu, je suis ravi et je considère que j'ai fait mon travail de réalisateur.

**Ce que vous dites me fait penser à la fin de *La Belle et la bête* de Cocteau, quand le prince apparaît à Belle, débarrassé de son aspect de bête. Il y a un dialogue, d'autant plus fascinant qu'il clôt le film, dans lequel Jean Marais demande à Josette Day si elle est heureuse. Celle-ci répond, si je me souviens bien : « *Il va falloir que je m'habitue.* » À quoi ? À une multitude de possibilités, d'interprétations. C'est une phrase extraordinaire.**

C'est cela, il n'y a qu'au cinéma que ce sentiment existe ! C'est ce que j'aime : un personnage dit quelque chose et personne ne sait avec exactitude ce qu'il a voulu dire. Pour moi, le cinéma c'est vraiment ça, ce que vous venez de décrire !

Ce qu'apporte le film, ce sont des questions qui appartiennent au spectateur, et uniquement à lui, pas au cinéaste. Cela confirme mon idée que le spectateur invente le metteur en scène. En retour, mon rêve comme cinéaste, ce serait d'inventer des spectateurs, de trouver des moments, des scènes sur lesquels il lui serait délicieux de buter. Tant qu'il y aura un spectateur qui aimera buter sur une phrase ou un plan, le cinéma aura une raison d'être.

**Revenons-en à l'écriture de vos scenarii...**

Écrire le scénario m'a servi jusqu'ici à élaborer une démonstration, à mettre en œuvre un stratagème. Filmer a correspondu à une mise à l'épreuve de cette démonstration. Puis au montage, on compte les points, on vérifie ce qui a été vraiment établi par le film. Qu'il s'agisse de *La Vie des morts* ou de *La Sentinelle,* le point de départ a été, pour ainsi dire, le même. Voir *Shoah* a tout déclenché. Concrètement quand j'ai vu *Shoah,* je me suis demandé longtemps pourquoi Lanzmann, que je considère comme un des plus grands réalisateurs français vivants, porte une telle colère envers les Polonais, bien plus agressive que celle qu'il voue aux Allemands.

**Ce qui est évidemment insoutenable pour Lanzmann, c'est que les Polonais savaient. C'était chez eux que cela se passait, et ils montraient qu'ils savaient, en faisant ce geste aux passagers des trains pour Auschwitz qui traversaient leurs champs, la main en travers de la gorge, le signe de l'égorgement...**

Oui, Lanzmann dit que c'est une action d'être le témoin, au même titre qu'être le bourreau ou la victime, même être un témoin impuissant. Il reste à définir cette action qui consiste à n'avoir rien fait. Sans doute, les personnages de la victime et du bourreau ne suffisaient pas à ce que l'impensable ait lieu. La barbarie, le massacre, ce sont de vieilles histoires que l'on connaît un peu, même si elles sont toujours insupportables. Mais si on admet sérieusement l'idée que lors de la Shoah, il s'est passé quelque chose de neuf, d'irréductible, d'impensable, on est pris de vertige.

Tout simplement parce que c'est impossible que quelque chose hors de la pensée ait eu lieu. Être le témoin, ce serait donc cela : incarner, représenter un mode de l'impensable. Le témoin est le troisième terme nécessaire pour que l'inimaginable à la fois trouve un lieu, et ait eu lieu dans ces forêts stupides. C'est d'une tristesse infinie dont on ne peut pas se remettre.

Les massacres ont toujours eu des témoins. Par contre, qu'il y ait eu des témoins de l'impensable, c'est un désastre qui ressemble à un blasphème. D'où cette colère de Lanzmann contre les paysans polonais.

C'est tout à fait vertigineux pour moi de penser à tout ça. Je ne sais pas pourquoi j'en parle ! Cela me dépasse complètement.

Néanmoins, cette fonction du témoin n'est pas nouvelle au cinéma, elle a été, auparavant, abordée par les westerns, par exemple, qui, bien souvent à travers l'histoire d'une famille, traitent des affrontements entre les Indiens et la Cavalerie. Dans le pire des cas, on ne voit ni les uns, ni les autres. On nous montre surtout des fermiers qui prospèrent sur un massacre.

**Cela ne peut pas s'appliquer aux grands westerns, de Hawks à Anthony Mann.**

Non, bien sûr, c'est plus général. Pour en finir avec cette histoire terrible et génératrice de mes petites histoires, je me pose la question de savoir si ces personnages des westerns ont oublié les massacres qui les ont précédés, ou bien s'ils s'en souviennent et si cela les rend mélancoliques.

Avec *La Vie des morts,* je voulais faire un film sur une famille, au cœur de laquelle il y a une fille qui, à l'inverse de la Sainte Vierge, est enceinte d'un cadavre. De quelqu'un dont la mort grossit en elle, celle de son cousin. Quand elle accouche, cela tord le cou du cousin. Tous les autres membres de la famille sont témoins du fait que quelqu'un va mourir. L'héroïne, à son insu, est en train de tuer quelqu'un. À l'instar de la mère du mort mais pour d'autres raisons, elle a les mains sales, et moi, je les gracie toutes les deux, car je ne peux pas me prononcer. Tandis que son frère qui ne tue personne, en tant que témoin, je le considère davantage coupable que l'héroïne. C'est immoral mais c'est comme ça.

La victime étant hors champ, *La Vie des morts* consiste, par conséquent, en un dialogue entre bourreaux et témoins qui essaie de prendre au sérieux qui a fait quoi, de compter les points. À la fin du film, la fille se lève et comprend qu'elle a une hémorragie plus importante que des règles, un peu comme une fausse couche. Elle descend voir son père. Celui-ci lui annonce la mort de son cousin à l'heure où on peut imaginer qu'elle a commencé à perdre son sang. D'emblée, elle pense : « *Putain ! Je ne dois pas y être pour rien.* » Pendant toute la durée du film, je me serai arrangé pour ne pas avoir de compassion pour le fait que l'ensemble des cousins soient dans cette situation irrésolue, empêtrée, de simples témoins.

**La dimension métaphorique est extraordinairement présente.**

Une démonstration, c'est toujours un peu métaphorique.

*La Sentinelle* comme *La Vie des morts* parlent d'une situation identique qui consiste à vivre sur un assassinat.

Cependant, avec *La Sentinelle,* cette configuration s'organise autour du problème de la frontière. Il s'agissait, cette fois, d'une démonstration rigoureuse à partir d'un paradoxe. Est-ce que je respecte plus quelqu'un si je lui dis qu'il est la même chose que moi, ou si je lui dis qu'il n'a rien à voir avec moi.

Dans le premier cas, je lui manque assurément de respect car je ne considère pas le fait qu'il est autre, mais en même temps, il n'existe pas de forme de mépris plus grande que de renvoyer l'autre à son altérité.

Prenons l'exemple des Russes. Est-ce que c'est un signe de déférence vis-à-vis d'eux de désigner leur différence ? Cela peut vouloir dire, qu'à l'inverse de nous, ils sont capables d'endurer toutes les tyrannies. Ou alors ils sont pareils et seront ravis d'avoir une économie libérale. Ce n'est pas si simple !

À l'origine de *La Sentinelle,* il y a la sensation infiniment triste que cette question de l'autre a été réglée en Europe, et que l'altérité y a été abolie. La population juive d'Europe centrale a été éradiquée. Quelque chose a disparu entre l'Est et l'Ouest : l'altérité comme un territoire. Disparition à la fois d'un espace pour les vivants et d'une sépulture pour les cadavres. De cette blessure incroyable, le mur de Berlin figurait la cicatrice. Je trouve que c'est un geste d'une impiété formidable que d'avoir supprimé le mur de Berlin. La réunification est un événement très triste, en ce sens qu'elle a fait disparaître la trace matérielle, spatiale de cette effroyable blessure. Pour se souvenir qu'entre l'Est et l'Ouest, il existe un tiers qui n'est plus là, une joie qui a définitivement disparu, il fallait garder ce lieu. *La Sentinelle,* même si cela peut paraître curieux, est un film qui s'engage pour le mur de Berlin !

Cette question de l'autre, de la frontière entre toi et moi, est donc présente dans le film à des échelles diverses, chaque échelle correspondant à un genre cinématographique différent.

**Par exemple ?**

La plus petite échelle correspondrait à la Nouvelle Vague et met en scène un garçon et une fille assis face à face, séparés par une ligne qui est la table d'un café. Circonstance qui pose et repose les questions du champ/contrechamp, des amorces, etc.

**Il y a, dans *La Sentinelle,* une scène qui explicite avec élégance ce dont vous venez de me parler. Quand Mathias (Emmanuel Salinger), retrouve Emmanuelle Devos et s'assoit à sa table dans la cafétéria de la morgue, elle lui explique quelque chose sur les regards qui se croisent...**

Je m'étais aperçu d'une chose plutôt drôle et assez bizarre. Quand on est deux, pour se regarder, il faut regarder chacun chez l'autre quelque chose de différent. Sinon, cela ne produit rien, aucune action, on ne fait que se voir...

**Comme lorsqu'on passe devant une glace...**

Voilà. Par contre, on attrape le regard de l'autre, et réciproquement, si l'on regarde, par exemple, l'œil droit et l'autre l'œil gauche. Si on fait, ensemble, deux actions différentes, ça en produit une : nous nous regardons. Il faudrait donc se manquer, se rater pour se trouver. C'est épatant, non ?

Une autre échelle correspond au genre policier. C'est l'histoire de l'appartement que partagent Mathias et William. Dès que William énonce la loi qui va régir leur cohabitation, et selon laquelle il serait interdit de pénétrer dans l'espace de l'autre, on sait que ça va devenir invivable. L'appartement, c'est un lieu idéal pour un film policier. Si les deux pièces sont trop étanches, autant prendre deux appartements ; mais si on va tout le temps l'un chez l'autre, c'est également impossible.

**La visite chez l'autre a toujours quelque chose d'une investigation, d'une enquête...**

C'est vrai. Ce qui me plaît en travaillant les genres cinématographiques, ce sont leurs recoupements : un film policier est toujours un peu un film d'espionnage, de même qu'un film médical est toujours un film fantastique.

**Le statut de la tête du mort est très bizarre. C'est un objet qui ne suscite aucune curiosité de la part du spectateur. Évidemment, je parle en mon nom. Pourtant, Mathias n'a de cesse de l'explorer. Cette tête devient curieusement un objet sans mystère sur lequel votre héros s'acharne mystérieusement.**

Mathias n'arrive pas vraiment à expliquer ce qu'il cherche. Néanmoins, quand il montre à son copain Simon le résultat de ses recherches, lorsqu'il raconte que le mort devait être gaucher et avoir tel groupe sanguin, je trouve Mathias très touchant. Il est tout joyeux parce qu'il a découvert que le mort appartenait à un groupe sanguin différent du sien. Il se dit : « *C'est vachement bien, on est deux sur terre. On est différents, c'est peu de le dire, mais, tout de même, un peu semblables.* »

**On en revient à votre principe de départ qu'un fait filmé, un geste ou une phrase soit précis et puisse avoir deux significations.**

Cette tête étant devenue un objet, donc moins qu'un cadavre, permet à Mathias de recomposer le mort, de retrouver un *autre,* quelqu'un d'autre.

C'est un peu comme les figures que dessinent au sol les policiers avant d'embarquer le cadavre, ils inventent un corps.

**Oui, mais dans le cas de la police, il s'agit de garder en mémoire la position d'un corps, c'est juste un repère.**

Il y a une séquence où vous montrez Mathias, couché par terre, la tête sous le vide-ordures, en train de l'actionner du bout du bras. On se demande automatiquement si la tête du mort pourrait rentrer dans le vide-ordures et disparaître une fois pour toutes. C'est fort, car on s'aperçoit à la fois qu'il s'identifie à cette tête, et qu'il la considère comme l'objet le plus trivial qui soit.

Mathias est très fort car il n'a aucun problème pour s'identifier, il sait le faire ! Il n'est pas mièvre non plus, un peu cynique parfois. Lorsqu'il se réveille avec une crampe à la jambe, je suis sûr qu'il crève d'envie de taper dans la tête, comme dans un ballon de football. C'est pour cette raison qu'il a une crampe, parce qu'il meurt d'envie de taper dans le mort !

**Le mort absent dont on parle tout le temps constitue un motif récurrent dans vos deux premiers films. La scène de dissection à la morgue, au début de *La Sentinelle,* me paraît très représentative**

car le cadavre dont parlent les étudiants et leur enseignant, et qui les embarrasse visiblement est complètement hors-champ. *Dans Comment je me suis disputé... (ma vie sexuelle),* votre troisième long métrage, on voit le cadavre d'un singe, vous faites figurer la silhouette d'un pendu, même si ce n'est qu'en rêve. Peut-on dire que dans *Comment je me suis disputé...,* ce qui est embarrassant n'est pas complètement mort, est un peu vif et commence à apparaître sur l'écran ?

La question que je me suis posée alors est liée au fait que, dans la vie, je ne crois pas aux vertus de l'expérience, et qu'au cinéma, je ne crois pas aux vertus de la réalité. L'idée de filmer la réalité m'apparaît comme une impiété. Je pense que le cinéma ne peut filmer que le monde, pas le réel.

**Qu'entendez-vous exactement par « le monde » ?**

Pour que le réel se constitue en monde, il faudrait la Bible, l'Odyssée, de l'écrit, dans tous les cas, quelque chose d'avant nous et qui nous a été donné. Pour que ce monde existe, une alliance est nécessaire. Le cinéma en est une. Le monde est quelque chose que je n'ai pas choisi, je le reçois. La voie d'accès au monde passe par quelqu'un qui, en sous-main, m'a délivré quelque chose.

La question fondamentale consiste à se demander comment faire pour être certain de voir quelque chose.

Par exemple, la fille que je viens de rencontrer pense : « *Ce type ne m'aime pas du tout, il ne me voit qu'en surface. Seuls mes proches savent comment je suis vraiment. Mais lui, il ne me voit pas telle que je suis.* » Quand je la connaîtrai mieux, elle ne manquera pas de me dire : « *Tu ne me vois plus. N'importe quel collègue de travail me voit mieux que toi. Hier, dans le métro, un type me regardait et je suis sûre que lui me voyait.* » Comment faire pour être certain de voir ou d'avoir vu quelque chose ? L'expérience ? Je ne suis pas contre l'idée de prendre un acide, mais ça ne résout rien. La question demeure : est-ce que j'ai vraiment vu ?

**On retrouve cette idée évoquée plus haut, qu'il n'existe aucune certitude, mais que filmer et montrer est un moyen de s'en approcher.**

Moi, à la fin de *Comment je me suis disputé...*, je suis absolument sûr que Paul a vu, réellement vu, ce qu'il a vu, et donc qu'il est sûr d'être en vie alors que parmi les gens que je connais, neuf personnes sur dix ne vivent pas au-delà de l'illusion de leur vie, car ils n'ont pas commencé à voir !

Je ne m'exclus pas du lot. Quand j'étais petit et que je regardais un tableau de Monet, j'étais saisi par l'aspect moderne de sa peinture, tandis qu'une peinture de Manet, dont je savais qu'elle avait scandalisé les gens à l'époque, m'apparaissait comme une antiquité, de la vieille peinture. Tout s'est inversé aujourd'hui ; est-ce sous l'influence de mes lectures ? Mais surtout, est-ce que je vois mieux maintenant, ou bien, au contraire, est-ce que je ne vois plus rien, ni Monet, ni Manet ? Il se peut que je ne voie plus que l'idée que je me fais des choses ou des gens.

Par conséquent, je suis sûr que Paul a eu un peu connaissance du monde, et le spectateur aussi.

Cette fois, il fallait démontrer que Paul avait connu trois filles, Esther, Valérie et Sylvia, au moins bibliquement.

Pour des raisons différentes, chacune des filles conteste que Paul la voit telle qu'en elle-même. À la fin du film, Paul aura acquis la certitude qu'il les a connues, chacune. Ça s'est plutôt mal passé, il les a toutes perdues, mais il a gagné la certitude qu'il les a rencontrées.

**Le fait que Paul les ait connues n'implique pas qu'il en soit de même pour le spectateur. Celui-ci est uniquement convaincu que Paul les a connues.**

C'est déjà pas mal ! Combien de fois entend-on parler de divorce entre deux personnes dont on sait qu'elles n'avaient pas encore commencé à faire connaissance ! Tandis que là, c'est trois fois triste parce que vraiment, Paul a un peu connu Esther, Valérie et Sylvia. En écrivant avec Bourdieu, nous nous sommes aperçu d'une chose que l'on subodorait mais qui ne nous est vraiment apparue qu'au montage, c'est qu'une des techniques de Paul pour résoudre ses doutes consiste à passer du statut de sujet à celui d'objet et de se laisser envahir par sa passion d'être un personnage. Plutôt qu'être romancier, il choisit d'être le personnage de quelqu'un d'autre. À la fin, le vieux Paul n'existe plus, et cela prouve qu'il a existé.

**Pourtant, quand Sylvia lui dit au téléphone qu'elle l'a transformé, le spectateur ne l'a pas vu changer.**

Peut-être, cela tient au fait que Paul est possédé par une seule rage, du début à la fin du film, celle d'être certain qu'il connaît au moins une personne, ne serait-ce que son ennemi. En cela, il ne change pas. Peut-il dire qu'il a connu Rabier ?

**La relation de Paul avec Rabier rappelle celle que Mathias entretient avec William dans *La Sentinelle*. On pourrait dire qu'elle est fondée sur l'humiliation, comme si l'un faisait figure d'offense constante pour l'autre.**

Oui, l'humiliation m'intéresse car elle provoque des effets comiques et de trivialité. Quelqu'un qui tombe, c'est déjà assez drôle. Dans tous les cas, cela me fait vraiment rire. S'il se fait mal en plus, je ne ris plus et j'ai un peu honte, mais je trouve ça encore plus drôle !

**Arnaud Desplechin**

Propos recueillis par
**Marie-Anne Guerin**

Cédric Klapisch. Photo Jérôme Plon.

# CÉDRIC KLAPISCH

# CHACUN CHERCHE L'AUTRE

MADELEINE KAMMOUN-CARLET : Vous avez dit : le cinéma, c'est pour moi se promener, découvrir des lieux, aller à la rencontre des gens, votre imaginaire rejoint-il toujours le concret ?

CÉDRIC KLAPISCH : Oui, je pense que l'imaginaire est forcément fait du concret et du réel. Ce qui me plaît, c'est le passage permanent entre l'irréel, voire le surréel ou le surréaliste, et la référence à la réalité. Des peintres qui se situent entre l'abstraction et la figuration, comme Morandi, Nicolas de Stael, ou Giacometti, n'ont parlé que de réalité, à travers une tentative d'échappée hors du réel.

**Vous avez fait une école de cinéma aux États-Unis, qu'avez-vous retenu de la méthode américaine, cela a-t-il changé votre regard ?**

Vivre à New York, loin d'ici, m'a autant influencé que l'école de cinéma en elle-même. J'ai appris, là-bas, à être plus concret, à ne pas partir d'un symbole pour l'élaboration d'un scénario, mais plutôt d'une image qui me plaît, et à essayer de faire sortir cette image de sa réalité. Aux États-Unis, dans l'écriture, ou dans la direction d'acteurs, on doit être davantage dans l'action que dans la médiation ou la réflexion, ce que j'appelle depuis : le « just do it ». Ils abordent tout, plus simplement, sans trop intellectualiser. Il est vrai que les Américains ont souvent un côté primaire, péjorativement connoté en France, mais je pense qu'il y a une grande différence entre le simplisme et la simplicité.

**La notion d'auteur ne se réduit pas à la notion d'ego, même pour des films dits autobiographiques. Puisez-vous toujours votre inspiration dans votre alter ego ?**

En France la notion d'auteur est liée à cette histoire d'ego. Il y a des mots qui reviennent : « sans compromis », « sans concession », il faut « mettre ses tripes sur le papier », tout ce qui fait dire que l'auteur, c'est celui qui s'analyse pleinement. Mais quand le regard est tourné toujours vers soi, il y a un moment où ça devient stérile. J'essaie de trouver une voie où on peut parler des alter ego, de la réalité tout en restant soi-même. C'est cette démarche intermédiaire qui m'intéresse, entre l'intime et le monde. Quand j'ai fait *Riens du tout,* il y a eu un moment pendant l'écriture où je me suis demandé pourquoi je voulais parler de la vie d'un grand magasin, alors que tout m'était extérieur. Et dans un deuxième temps, j'ai essayé de rapprocher ça de moi. En fait, mes parents ont divorcé quand j'étais très jeune et ce film parle des problèmes qu'un enfant de divorcés peut avoir ; c'est ce que le P-DG représente, il essaie de rassembler des gens et finalement échoue. Ce qui m'est profondément personnel m'est apparu bien après toute l'étude et l'enquête que j'avais pu faire sur un grand magasin, les interviews de P-DG, de directeurs des ressources humaines, de syndicalistes, de vendeuses. Être auteur, pour moi, c'est s'intéresser au monde extérieur et aux autres d'une façon personnelle, et ce n'est pas forcément incompatible.

**Est-ce que le rôle du metteur en scène consiste à rester derrière le comptoir (en rapport avec le dernier film que vous avez fait), non pas comme un étranger, mais comme une sorte de coryphée qui commenterait l'action ?**

J'ai commencé à douze ans à faire de la photo et c'est devenu problématique pour moi, de toujours me considérer comme un observateur et un voyeur. Imaginer que je pouvais aller quelque part sans ramener des images revenait à dire que je n'avais plus de fonction. Il a fallu, vers l'âge de dix-huit ans, que je fasse un travail libérateur... Vivre et voir étaient devenus opposés. Je pense qu'être réalisateur, c'est parvenir à rassembler ces deux moments. Comme disait Camus, il y a un temps pour vivre et un temps pour témoigner de vivre.

Je pense que chaque réalisateur a son voltage particulier. C'est assez bizarre d'ailleurs, de voir à quel point les tournages sont différents selon les réalisateurs, certains sont autoritaires, d'autres calmes, timides, ou angoissés. Leur personnalité fait passer un courant différent et établit des correspondances, des résonances, chez les acteurs et les techniciens. Il y a tout le temps une relation qui se fait entre ce qu'on est, la vie qu'on mène et ce qui se passe sur un plateau.

**Vous sentez-vous proche de Cassavetes, dont le cinéma évolue pourrait-on dire au fur et à mesure qu'il se fait, à la façon parfois d'un reportage ?**

C'est quelqu'un que j'aime beaucoup et qui m'a beaucoup influencé, surtout ces derniers temps mais je pense être très différent de lui pour d'autres raisons. *Chacun cherche son chat* est un film qui est vraiment construit sur cette logique-là, une espèce d'opportunisme, comme pour un reportage, où le scénario de départ n'était pas important, avec en même temps une mise en scène visible, des ellipses, des effets de cinéma. C'est un film qui est parti des personnages, de la rencontre avec Renée, ou d'autres. Je pense que Cassavetes était plus direct, plus spontané, alors que moi je recherchais quelque chose d'intermédiaire, comme chez Jacques Tati. Henry Moore, avant de faire ses sculptures, préférait faire des maquettes qui l'amenaient directement dans un espace tri-dimensionnel, sans la réduction aux deux dimensions d'un dessin préparatoire. Dans *Chacun cherche son chat*, dans *Riens du tout* ou dans d'autres films, même avec un scénario qui est l'équivalent de l'esquisse pour le sculpteur, je n'ai pas voulu passer par un autre média ; j'avais tous les matins des ingrédients et je faisais du modelage : il y avait des acteurs, des bouts de dialogues... c'est peut-être ça qui a donné sa fraîcheur au film. C'est pour moi une des grandes questions en ce moment, comment essayer d'allier la légèreté à un long travail préliminaire sur un sujet.

**Vous avez fait plusieurs courts métrages, et quatre films. Ceux-ci parlent surtout du rapport de l'individu au groupe, par une articulation constante entre la psychologie individuelle et les lois de la société. Dans *Riens du tout*, un grand magasin et un groupe d'employés, dans *Le Péril jeune*, un groupe de lycéens, dans *Chacun cherche son chat*, un groupe d'habitants d'un même quartier, dans *Un air de famille*, un groupe familial. Que sont pour vous ces gens ordinaires qui vous intéressent ?**

J'aime remarquer ce qui est normal, ça fait partie de la théorie de Perec sur l'infra-ordinaire, ce qui est absolument paradoxal mais très vrai. En ce qui concerne le rapport de l'individu au groupe, c'est une des choses qui me gêne le plus dans le commun du cinéma français, on ne s'intéresse qu'à l'intime ou à quelque chose d'intimiste, ce que mon scénariste nomme : « états d'âme sur canapé » ! À l'opposé, les films qui ne sont que politiques ou idéologiques sont aussi assez pénibles, et donc j'espère qu'il y a une voie à trouver entre les deux parce que les cinéastes que j'aime, comme Fellini, comme Woody Allen ou Scorsese sont des gens qui, à travers une histoire d'amour ou un problème social, parlent aussi d'autre chose. Voilà ce que j'aime dans Shakespeare, il y a de l'intime dans le politique et il y a du politique dans l'intime. C'est ce courant qui passe entre ces deux pôles qui m'intéresse. Mon père est physicien, il travaille sur l'origine et les constituants de la matière, tandis que ma mère est psychanalyste et s'intéresse au psychisme. Or, mes films essaient de regarder ce qu'il y a dans la tête des gens et dans l'organisation du monde. Ce n'est sans doute pas un hasard !

Dans *Riens du tout* vous créez une galerie de portraits, une mosaïque de personnages entre fiction et reportage, qui ne frisent jamais la caricature et par lesquels vous envoyez des flèches satiriques contre les idées reçues. Est-ce que la vie quotidienne est à elle seule un spectacle suffisamment drôle ?

Ce qui est drôle, c'est que les films les plus délirants sont toujours inférieurs aux délires de la vie. La notion de caricature m'intéresse en ce moment. Je trouve amusant qu'on puisse dire que Luchini dans *Riens du tout* est caricatural, que la styliste dans *Chacun cherche son chat* l'est aussi ; mais peut-on voir Jean-Paul Gaultier, Sonia Rykiel ou Karl Lagerfeld, autrement que comme des caricatures ? Suis-je caricatural en décrivant un personnage outrancier ? On a besoin de sincérité pour qu'un personnage puisse être parlant, cependant on est obligé d'appuyer le trait, c'est ce qui permet aux gens de voir ce qu'ils ne voient plus. Céline, quand il parlait de la façon dont il traitait la réalité, disait « ce qui m'intéresse, c'est le style ». On revient à ce qu'on disait sur la peinture, il y a un moment où il faut arriver à trouver son trait et si ce trait est un peu gros parfois, ce n'est pas grave. Ce qui me plaît dans les esquisses de Giacometti, quand il fait « l'homme qui marche », avec seulement trois traits au fusain, c'est que c'est vivant, alors que ça ne ressemble pas au corps et pourtant ça ne renvoie qu'au corps.

### Archétype ou caricature ?

Il faut trouver le bon terme, parce que là aussi, en France, le mot caricature est très péjoratif. Je donnais un cours à la FEMIS sur cette notion et je montrais cinq exemples différents. Je suis parti d'un sketch des Deschiens en expliquant ce qu'est la caricature, c'est-à-dire l'art du clown, poussé à l'extrême. Avec un extrait de Jacques Tati, on passe à la stylisation. Dans des films hollywoodiens, on arrive à l'archétype. Et j'ai fini par le reportage en montrant un film de Cassavetes. La caricature n'est pas seulement un problème, on voit bien que chez Daumier c'est aussi artistique.

**Dans *Riens du tout,* vous abordez le problème de la solitude vécue par des gens qui se côtoient et ne se rencontrent jamais. À travers le malaise du solitaire et surtout la nostalgie du collectif, parlez-vous de politique ?**

Oui, c'est clair. *Chacun cherche son chat* est un film foncièrement apolitique, sans discours. Il y a juste une petite annonce à la radio indiquant que Chirac vient d'être élu. Et justement, j'ai mis ça pour dire à quel point le film était politique. C'est une attitude politique de n'y attacher aucune importance. C'est vrai qu'on est passé d'un gouvernement de gauche à un gouvernement de droite. Ça ne change absolument pas la vie des gens. Par contre, la politique c'est de savoir, quand quelqu'un perd son chat, si son voisin va l'aider. Finalement, dans ce film, il n'y a pratiquement que des exclus, alors que ce sont tous des gens qui font partie de la société. Une ville fabrique de la séparation, la démocratie engendre de la non-participation...

**Ne trouvez-vous pas que, sous prétexte d'évasion, le cinéma échappe rarement à l'univers social de la bourgeoisie ?**

La raison principale, c'est que tous les réalisateurs sont bourgeois. Il serait temps de s'en apercevoir. On est pris dans une sorte d'engrenage qui fait qu'un paysan devenu cinéaste n'est plus un paysan. Il y a énormément de peintres issus des milieux prolétaire, paysan ou ouvrier. À partir du moment où ils ont exposé leurs tableaux, ils étaient en opposition avec leur milieu. C'est un grand problème. Je suis issu d'un milieu intellectuel, pas forcément très riche, mais en tout cas bourgeois. Faire du cinéma suscite une espèce de sentiment élitiste. Le terme d'évasion est peut-être une des valeurs bourgeoises. Par contre, il y a toujours la tentation de faire semblant qu'on est ordinaire, comme chez Cassavetes, chez Renoir, ou chez les réalisateurs plus proches du mouvement ouvrier, le désir de faire croire qu'on est proche des gens « normaux », qui ne font pas partie du milieu du cinéma.

**Dans *Le Péril jeune*, vous faites une peinture impressionniste d'un groupe de lycéens par petites touches, sans dessein moralisateur, vous choisissez une distance intermédiaire entre le recul de l'observateur et le portrait du camarade. Pourquoi dites-vous que vivre les choses de l'intérieur permet d'avoir une distance ?**

Quelqu'un qui n'était pas du tout sportif disait : « Je ne comprends pas pourquoi des gens en short s'agitent en tous sens sur de grandes pelouses vertes. » C'était sa définition du football. Mais seulement quelqu'un qui n'a jamais joué au football peut dire cela. Pour voir, il faut avoir vécu. Pour bien voir un amoureux, il faut avoir été amoureux.

En ce sens, je suis assez opposé à Desplechin, parce qu'il affirme : quand on n'aime pas la vie, on fait du cinéma. La pellicule, c'est de la matière morte et inerte avec laquelle on essaie de faire croire au vivant. On est toujours dans le paradoxe de l'art qui est un mensonge permettant d'atteindre la vérité, Picasso le disait.

**Dans *Le Péril jeune*, être jeune revient-il à affirmer sa différence ?**

Oui, on a besoin de fabriquer de l'ego, quelque chose qui fait qu'on se distingue des autres. Nous en parlions beaucoup avec Jean-Pierre Bacri, sur *Un air de famille*. On disait que les gens révoltés sont ceux qui ont gardé une part d'adolescence en eux. Jean-Pierre Bacri déclare souvent : « je n'aime pas les gens qui tirent le frein à main », qui tout à coup s'arrêtent, renoncent. Le sentiment de révolte, né à l'adolescence, peut être négatif, ridicule, mais nécessaire pour cultiver ce simple désir de lutte, le projet de « changer la vie ».

**·Dans l'expression du mal-être, de la solitude et du danger de marginalité, vous touchez le spectateur. Cherchez-vous toujours son adhésion ?**

Parmi les phrases qui reviennent souvent en France, on lit : « Je refuse les compromis. » Faire croire qu'on ne cherche pas l'adhésion du spectateur est une absurdité. Pour moi, le cinéma est un échange avec le public, sans forcément faire du cinéma commercial et compter les entrées.

Une chose que j'aime beaucoup chez Scorsese, c'est que son cinéma ne parle que de marginalité, comme dans *Les Affranchis* par exemple, et du goût du spectateur pour la violence, pour l'extraordinaire. Je pense qu'il a bien saisi ce vrai paradoxe, au cinéma : un art de masse qui s'adresse soi-disant à tout le monde, en parlant de la marginalité. Il n'y a pas de leçon, pas de morale dans *Le Péril jeune,* et on ne sait pas si les gagnants sont ceux qui restent en vie. Dans cette histoire, j'ai perdu des amis, comme Tomasi, sur lesquels je pouvais rêver, parce que je me suis toujours considéré, notamment au lycée, comme très normal. Il y a ce sentiment affreux qu'ils ont disparu parce qu'ils ont été trop extrémistes. Je trouve que c'est quelque chose qui ressort bien dans le film, un sentiment assez amer, d'être normal.

**Dans *Chacun cherche son chat,* le chat est un prétexte, un fil conducteur entre les différents protagonistes et aussi entre les deux mondes, l'ancien et le moderne. A posteriori, pensez-vous que le choix d'un chat soit signifiant ?**

L'histoire a prouvé que c'était encore plus signifiant que je ne le pensais. Le cinéma est un univers symbolique. Le film n'a pas d'intérêt s'il ne s'agit que d'un chat. C'était même un pari, de quitter le point de départ, pour parler aussi de Paris, des rapports entre vieux et jeunes. Dans *Le Péril jeune*, l'histoire c'est la mort d'un jeune homme et la naissance d'un bébé ; dans *Riens du tout*, c'était le centenaire de ce grand magasin, qu'il fallait moderniser. Ce thème revient dans tous mes films, de façon assez sous-jacente, un monde ancien qui disparaît et un nouveau monde qui surgit, c'est peut-être aussi le problème d'une fin de siècle.

**Dans *Chacun cherche son chat*, vous faites une peinture au vitriol du milieu de la mode, à la façon d'Altman, mais je trouve que c'est plus féroce et plus efficace que dans *Prêt-à-porter*. Avez-vous des comptes à régler avec la mode ?**

Non. Lorsqu'on me demande quel personnage est le plus proche de moi dans le film, je pense que c'est la styliste... La mode, ça a forcément un aspect ridicule parce qu'on ne s'occupe que de l'apparence. En même temps j'essaie de m'en moquer avec douceur, parce que mon métier est le même : quand elle hésite entre la barrette bleue ou la barrette rouge, je sais que le matin sur le tournage avec les acteurs, c'est pareil.

Pour *Chacun cherche son chat*, je me suis inspiré d'une photo d'Helmut Newton, une petite maquilleuse en train de maquiller une immense mannequin en manteau de fourrure. C'était beau et assez féroce, ce rapport de forces incroyable, entre une fille plutôt jolie, complètement estompée par la beauté du top model !

**Vous décrivez aussi l'isolement, la jolie mannequin obligée de passer par les petites annonces pour rencontrer un homme. L'amour est ici décrit comme un vide ou un espoir entre le « trop tard » tragique ou le « pas encore » attendu. Pensez-vous que l'isolement touche de la même façon tous les âges ?**

Oui, il n'y a pas de raison ! C'est différent suivant l'âge, si je puis dire. Dans *Le Péril jeune,* je montre à quel point l'isolement adolescent est fort. La solitude des jeunes vient du fait qu'ils ne savent pas rencontrer les autres. Chloé a plus simplement du mal à choisir. Renée, son problème d'isolement est lié à autre chose, elle ne vit plus avec quelqu'un. Et puis il y a l'isolement professionnel, dans *Riens du tout.* On est dans une époque profondément individualiste, en amour comme en politique. Je me suis aperçu que le nombre de dépressions nerveuses a augmenté en même temps que la baisse de fréquentation des syndicats. Aujourd'hui les problèmes se résolvent, ou plutôt ne se résolvent pas, de façon individuelle. J'y suis sensible mais en même temps je ne suis pas un pessimiste de l'amour. Je pense que la meilleure façon de parler de l'amour, c'est de parler du moment où il n'existe pas. À la fin, ce qui provoque énormément de plaisir dans *Chacun cherche son chat,* c'est que Chloé trouve l'amour, et le pire serait de la montrer vivant l'amour parfait. Il faut faire naître le courant, mais ne pas voir le moment où la lumière s'allume. C'est ce que je trouve très beau dans *Un amour de Swann,* la description de l'avant et de l'après.

**Dans ce film, vous pratiquez l'art de l'ellipse avec une rare efficacité comique (voir la scène des vacances). Est-ce un style délibérément épuré ou la trace de ce qui devait être au départ un court métrage ?**

C'est évidemment la trace du court métrage. Impossible, en revanche, de faire exister Renée sur une trop courte durée. Il y a un moment où Chloé se maquille, pour aller en boîte, elle reste quinze secondes et, dans le plan suivant, elle se démaquille parce qu'il ne s'est rien passé : une façon de traiter le quotidien avec une mise en scène originale, où l'ordinaire surgira tout à coup. Beaucoup de filles ont trouvé cette image terrible.

Je vous disais, au début, que j'aimais Morandi. Il n'a peint que des bouteilles, le sujet n'a aucun intérêt, mais c'est extraordinaire. L'exemple parfait d'une absence totale de sujet. Je pense que *Chacun cherche son chat* est un film qui ne marche que par le style.

**Vos petites apparitions muettes dans les films, est-ce une signature à la Hitchcock ou la nostalgie de ne pas jouer la comédie ?**

C'est un peu les deux. Au départ, j'ai eu envie de jouer. Et puis, comme on m'a vu dans mes deux premiers courts métrages, j'ai continué dans *Riens du tout,* j'ai décidé que c'était une bonne façon de signer le film. Mon premier court métrage a dix ans, c'est assez drôle de voir ma tête à cette époque. Sans vraie référence, je trouve que le principe est bon.

**Quand vous dites que *Chacun cherche son chat* fait partie des films « impolis », voulez-vous parler d'une esthétique ?**

On a tendance à enjoliver les choses quand on les filme ; il faut savoir enlever le joli qui ne sert à rien. Dans *Chacun cherche son chat,* parce que ça faisait partie du sujet, je cherchais systématiquement à montrer les chantiers plutôt qu'à les enlever. Quand je dis que ce n'est pas un film poli, c'est justement parce qu'il va vers des choses qu'on ne montre pas d'habitude. Renoir disait que la première image qui vient est toujours un cliché, et je crois qu'il faut beaucoup gratter pour aller vers une image « pas polie ».

**Dans *Un air de famille,* vous décrivez la famille comme une fabrique à séparation. Est-ce pour vous une généralité ou une idée reçue ?**

Dans *La Psychanalyse des contes de fées* de Bettelheim, tout conte de fées est un apprentissage pour apprendre à sortir de chez soi. Je pense que c'est le travail des parents, et des enfants, de réussir ce passage. C'est à la fois vital et tragique.

**Jean-Pierre Bacri dit « le fléau de la famille, c'est la familiarité, on n'a plus la distance, donc le respect, on se connaît trop et trop**

mal, on ne sait plus se considérer et être considéré ». Êtes-vous d'accord ?

Oui. C'était une vraie collaboration, leur texte et ma mise en scène. Il y a une espèce d'osmose bizarre entre les deux. Je crois que c'est sur ce thème de considération qu'on se rejoint. Quand j'évoque les riens du tout, je parle des gens qui demandent à être considérés, reconnus. Je pense qu'*Un air de famille* s'inscrit tout à fait dans la lignée de mes autres films.

**Dans ce film, la caméra utilise pleinement la possibilité de provoquer une intimité, une identification avec les êtres, par l'usage des gros plans. Est-ce là l'intérêt de l'adaptation au cinéma d'une pièce de théâtre ?**

Ce n'est pas forcément le seul intérêt. Je me suis dit que si je prenais un parti pris cinématographique trop fort, je n'allais renvoyer qu'au théâtre, à quelque chose de trop stylisé, et j'ai donc essayé de travailler sur motif. Partir d'un texte de théâtre m'a amené à voir ce qui pouvait être cinématographique là-dedans, scène par scène, à la fois dans le traitement de la lumière, du son, dans le fait d'accepter ou non le huis clos, dans des respirations et des scènes rajoutées à l'extérieur. La critique a nié le fait qu'on puisse faire du cinéma en partant d'une pièce de théâtre. Je pense pourtant que ça m'a aidé à créer des choses que je n'aurais pas pu inventer à partir d'un texte écrit par moi-même. C'est évident pour les gens qui ont vu les deux.

**L'affiche du film montre un miroir au spectateur pour qu'il y voie une ressemblance. Vous sentez-vous un air de famille avec les personnages ?**

J'ai un air de famille avec le fonctionnement de cette famille, mais pas du tout avec les personnages. Le miroir, c'est une idée du producteur, Charles Gassot. Il s'agit d'un film sur la réflexion au sens de réfléchissement, mais c'est aussi un film qui fait réfléchir, avec un rire qui laisse des traces.

Il y a aussi quelque chose que j'aime bien distiller dans mes films, dont on n'a pas parlé, qui existe chez Fellini et chez Rabelais, c'est le mélange entre des éléments très prosaïques et très spirituels. J'avais lu un article sur Léonard de Vinci où on disait qu'en fait, ce qui était profondément génial chez lui, c'est qu'il faisait des ponts entre des domaines qui n'avaient rien à voir entre eux. Je crois énormément à ça. J'aime être curieux, éclectique, la musique, la mode, la politique m'intéressent, et c'est en aimant ces choses différentes qu'on peut les rassembler. La grande idée de Léonard de Vinci, c'était de partir de l'observation, dans la technique, dans la médecine, dans la nature et de voir comment, à partir de là, la créativité existe. J'opterais pour cet esprit-là, qui n'est pas vraiment français.

**Et votre prochain film, vous avez une idée, un projet ?**

C'est un film qui essaie de parler du futur, de façon un peu moins traditionnelle que d'habitude, parce que la science-fiction devrait être le contraire du conventionnel et le lieu de tous les possibles : en somme, une réponse au *Péril jeune,* qui parlait de nostalgie. Là, j'essaie de voir si on peut encore entretenir des illusions aujourd'hui.

**Cédric Klapisch**

Entretien réalisé par
**Madeleine Kammoun-Carlet**

Olivier Assayas. Photo Marc Guillaumot.

# OLIVIER ASSAYAS

# CONVERSATION
## AVEC
# ANNE WIAZEMSKY

ANNE WIAZEMSKY : **Comme c'est un numéro en partie consacré au cinéma, j'ai envie de te demander où tu en es de ton projet littéraire.**

OLIVIER ASSAYAS : Pour ce que j'en sais ! Je travaille à l'adaptation des *Destinées sentimentales* de Jacques Chardonne, depuis deux ans, avec tout ce que cela implique de recherches, de documentations sur le début du siècle, le Sud-Ouest, la porcelaine de Limoges. Un sujet qui m'intéresse aussi à cause de la façon dont Chardonne y parle du travail et de l'intime, du couple... Cette idée que dans le travail, dans l'artisanat, qui est d'abord et par définition laborieux, il y a aussi une grandeur. Ça m'oblige à m'intéresser à la fabrication des assiettes et à la vie dans le sud-ouest de la France au début du siècle. J'écume une masse d'informations. Aujourd'hui le tournage dépend de Daniel Auteuil, des financiers, des télévisions : c'est un film très cher, très lourd. Moi, cela m'amène sur un terrain littéraire... Mais je n'ai jamais été loin du littéraire, dans le sens où j'ai toujours eu l'impression de faire mes films comme un romancier écrit ses romans. De partir à la recherche du sujet en l'écrivant. Au départ, il y a une intuition qui correspond rarement au bon sens mais qui fonctionne comme une évidence, puis j'ai l'impression de progresser sur le chemin d'une réflexion qui est semblable à ce qu'un écrivain cherche. Je ne me suis jamais confronté à ce genre bâtard qu'est l'adaptation littéraire au cinéma. Mais j'ai toujours aimé l'écriture de Chardonne, sa musique, sa grâce, sa manière elliptique et sinueuse d'aller absolument au fond des choses. Ce fond un peu indicible, un peu nihiliste, mais qui me fascine. J'ai toujours aimé me laisser porter par son style.

**Tu lis beaucoup. C'est la première fois qu'un roman te donne envie de l'adapter ?**

Oui, car j'ai le sentiment qu'un livre est une œuvre achevée. Le cinéma ne peut que la réduire, l'abîmer. De la même manière les mots abîment parfois les idées. Tu sais : on ressent, on pense quelque chose, on met un nom dessus, et ça devient plat, sans valeur. Parfois, si tu transposes les phrases en images, il y a la même perte et tu ne retrouves plus l'émotion que tu as eue en lisant, la beauté d'un sentiment exprimé par l'écrivain. J'ai été troublé en lisant *Les Destinées sentimentales,* car ça ne m'était jamais arrivé de lire en pensant : « Je vais adapter ça au cinéma. » Sauf une fois ou deux, peut-être.

**Je me souviens t'avoir offert *Les Faux-Monnayeurs*. Je pensais que tu devais l'adapter, en faire un film.**

Ça m'a beaucoup fasciné, *Les Faux-Monnayeurs !* D'une certaine façon, il y a quelque chose du roman qui est passé dans mon film de l'époque : *une nouvelle vie.* Peut-être une manière de contagion du mal... Mais la dimension homosexuelle du livre me semble, à moi, très difficile à traiter. Je ne serais pas sûr d'être à l'aise. Par ailleurs, il y a une influence dostoïevskienne massive et je retrouve le même problème qu'avec Dostoïevski. Ses grands romans, à mon sens, sont inadaptables. Les nouvelles, les récits courts, oui. Les romans, non.

**Tu pensais aussi adapter un petit Mauriac.**

Parmi mes admirations littéraires, celles qui m'ont marqué, qui ont constitué ma manière d'écrire ou de raconter, Mauriac a joué un rôle de premier plan. Je ne sais si ça se retrouve dans *Désordre,* mon premier film. Il me semble qu'il y a des choses que j'ai apprises simplement à la lecture de Mauriac. Il y a eu une période ou j'avais très envie d'adapter *Un adolescent d'autrefois.* Mais je ne m'y suis jamais mis. Je ne sais pas pourquoi. Ce n'était sans doute pas le moment. Les choses que j'aimais et que j'aime chez Mauriac, j'en retrouve la trace dans mes personnages, mes récits. Au fond j'ai l'impression de m'en nourrir de façon très diffuse.

**Je pense au film que tu as écrit en tant que scénariste, *Le Lieu du crime,* qui est pétri, il me semble, de tes lectures de Mauriac.**

Pas vraiment, *Le Lieu du crime* est un film fondé sur l'autobiographie d'André Téchiné, ancré dans un Sud-Ouest dont je ne connais rien. S'il y a Mauriac dans ce film, c'est par l'intermédiaire d'André. Ce qui m'a donné envie d'adapter *Les Destinées sentimentales,* c'est le sentiment que je pourrais ne pas le trahir, et même qu'il avait quelque chose à y gagner. C'est un livre différent des autres livres de Chardonne. Il s'est posé des questions de fabrication, il l'a très fortement structuré, alors que les autres sont plus impressionnistes, par touches, avec ce côté « Bonnard » dans la composition... Il y a là au contraire quelque chose de très cadré, un souffle romanesque (j'ai horreur de cette expression conventionnelle), une ampleur sans emphase. Et puis c'est un roman admirablement dialogué. Il y a toute la sensibilité et l'intelligence de Chardonne pour ce qui est des relations de couple, avec deux personnages magnifiques. Il les fait parler d'une façon telle qu'il y a très peu de choses à retoucher. J'ai fait l'adaptation avec Jacques Fieschi qui l'a rédigée. C'est un projet différent des autres et j'avais envie d'adopter une méthode un peu différente. J'ai toujours écrit seul, en filmant dans la foulée de l'écriture, et pour moi c'est un seul et même mouvement. J'ai toujours considéré un scénario (l'idée même de scénario en tant qu'objet achevé et autonome me fait horreur) comme un processus d'écriture qui est mien et que j'essaie de prolonger ensuite dans la fabrication du film, au moment où les personnages s'incarnent, où je fais vivre les situations, où je les fais respirer : j'ai tout simplement envie d'être absolument dans la continuité du moment où j'ai écrit la scène, de ne pas perdre le sentiment, le fil, y compris avec ce que ça a de mystérieux dans la manière dont ça m'est venu.

**Pour moi tu es quelqu'un qui écrit très aisément et qui va très vite. Est-ce que tu peux rappeler comment tu as commencé à écrire ? Tu as eu un père scénariste ?**

Oui, moi et l'écriture c'est une longue histoire... La totalité de l'œuvre de Proust raconte ça... Quand tu essaies de t'expliquer comment tu es venu à l'écriture et comment sa place s'est imposée dans ton existence, tu es au cœur de l'individu.

Mon père était scénariste. J'ai grandi dans un milieu où mon père – même s'il écrivait pour le cinéma – ne considérait pas le cinéma comme un art majeur ; pour lui c'était plutôt l'écriture, ou la peinture. (Il s'appelle Jacques Rémy.) C'était le cinéma des années cinquante, une génération de gens pour qui le cinéma était un boulot. Ils se considéraient comme des artisans, des fabricants, ce que tu voudras, mais il n'y avait pas de nécessité vitale. Mon père écrivait, aimait écrire, c'était son travail. Je ne crois pas qu'il considérait le style comme essentiel : quand il écrivait des scénarios, l'art cinématographique n'était pas la première de ses préoccupations non plus. Ce qui l'intéressait c'était raconter « une bonne histoire ». Quand j'ai eu quatorze ou quinze ans, l'âge des premiers balbutiements artistiques liés à la puberté, eh bien moi ça a été la peinture ! Je me suis mis à peindre, à dessiner, et ça a compté énormément jusqu'à l'âge de vingt-quatre ans. J'ai arrêté le jour où j'ai décidé de faire du cinéma. Quand j'ai fait mon premier court métrage, ça a été comme si, alors, l'écriture s'était substituée au dessin. Depuis l'enfance, j'avais cette idée très précise, très nette – même si je peignais et dessinais – de faire des films. Et je pensais que ce serait la peinture qui m'y conduirait, qu'elle serait mon chemin singulier, à moi, vers ma pratique singulière du cinéma. Mais au fur et à mesure que je me suis rapproché du cinéma, et où je l'ai compris, il m'est apparu que le seul accès possible pour moi était par l'écriture. Et que pour faire du cinéma il faudrait que je m'approprie l'écriture : c'était la seule façon d'avoir prise sur lui et d'en faire mon outil d'expression, au même titre et par les mêmes voies que le dessin jusque-là...

**En mai 1968, tu as quel âge ?**

Treize ans. Ça me marque beaucoup, comme n'importe qui à cette époque-là, ce sentiment de liberté formidable... Tout à coup, tout vole en éclats. Quand tu as cet âge-là, c'est génial. Je ne vais plus au collège car il est en grève. Avec mes camarades, on allait chez les uns, chez les autres, on partait dans les bois à vélo. J'ai des souvenirs comme ça, plus école buissonnière qu'autre chose. Je trouvais merveilleux d'être au milieu de la désorganisation, de l'anarchie. Plus rien ne fonctionnait. C'était vraiment bien.

**Ça me fait penser que le point commun à tes films, c'est la jeunesse de tes personnages.**

Oui. Je suis un peu embarrassé pour parler de ça car je me suis toujours trouvé en porte à faux sur cette question – porte-à-faux qui, par ailleurs, me convient très bien. Aujourd'hui, quand on dit « jeunesse », il y a cette idée sociologique d'un groupe qui serait celui des jeunes. Je n'ai jamais représenté des jeunes sociologiques ou des jeunes en tant que groupe, ça me fait horreur. Quand j'étais adolescent, j'avais l'impression d'un troupeau, j'attendais avec impatience d'être adulte, d'échapper à cette jeunesse qui semblait limiter l'individu plutôt qu'autre chose. J'avais le sentiment qu'il y avait un vaste monde, avec des choses merveilleuses à faire, à vivre : c'était le monde de la maturité et j'étais très impatient d'y accéder. De ce point de vue-là, le monde de la jeunesse est passionnant, et c'est ce que j'ai essayé de raconter dans mes films : des jeunes gens dont le problème est d'être libres, indépendants, de conquérir la maturité et d'échapper à cette espèce de complaisance infantile, infantilisante et stérilisante du monde idiot de la jeunesse. Pour ne pas parler de l'horreur d'aujourd'hui, ce mélange de consumérisme, où les gens se définissent par ce qu'ils achètent, les fringues qu'ils mettent, les disques qu'ils écoutent... ces revues de consommateurs où on leur dit que pour être un « bon jeune » il faut lire ceci et pas cela, acheter ceci et pas cela. Je n'ai jamais eu envie de représenter de « bons jeunes ». Pour moi, chaque être est un nœud de contradictions et porte en lui la totalité de la complexité de l'humain. La jeunesse est un moment charnière, et il me semble que les écrivains ont souvent eu envie de représenter ça. C'est le moment où le monde s'ouvre et où on doit faire face à des questions sur ce qu'on est, sur ce qu'on veut, ce vers quoi on veut aller.

**En regardant *Désordre*, j'ai eu l'impression bizarre d'avoir sauté une étape de la jeunesse, d'être passée directement d'un état presque d'enfance au travail, aux grandes personnes, alors que toi tu as eu toutes les étapes.**

Pour moi, c'est un peu la différence entre les garçons et les filles. Je pense que la question se pose un peu moins pour les filles que pour les garçons : une jeune fille à seize ans est une adulte, un garçon à seize ans est un gamin qui a encore tout un chemin assez compliqué devant lui avant de se constituer en tant qu'individu. Il va être maladroit avec les filles, se refermer sur lui-même, puis progressivement, à tâtons, trouver une manière de pacifier ça, de résoudre la question de ce qu'il veut faire dans le monde. Alors qu'au fond, à seize ans, une fille peut être une adulte, sentimentalement et sexuellement. Ce qui ne veut pas dire que par la suite elle ne sera pas obligée de se poser la totalité de ces mêmes questions. Mais il me semble qu'elle va plus vite d'une étape à une autre. La conquête de la maturité est une problématique plus masculine que féminine. En tout cas, je l'ai perçu comme ça.

**Ce qui me frappe le plus chez toi, c'est que tu parles des filles de l'intérieur.**

J'ai toujours eu le sentiment d'avoir une sensibilité aussi bien masculine que féminine, quelque chose de cet ordre-là. C'est la manière dont on est fabriqué. Par ailleurs, quand j'ai commencé à essayer de trouver le chemin de la fiction, j'étais obsédé par cette idée que je saurais écrire des films, raconter des histoires, le jour où je saurais raconter des filles, où je serais capable de comprendre l'autre. Pour moi, l'autre, c'est l'autre sexe. Et j'ai le sentiment à travers l'écriture de faire un difficile travail d'approche, de compréhension. C'est quelque chose qui s'est passé pour moi entre mes deux premiers films. Quand j'ai fait *Désordre*, j'ai aimé les deux personnages féminins, qui sont curieusement au milieu d'une prolifération de versions de moi-même. Les garçons sont chacun des facettes de moi-même d'une façon ou d'une autre. Quand j'écris, j'ai quelquefois cette image : écrire pour le cinéma c'est comme prendre une photo et le tournage c'est quand elle se révèle. Quand je filmais les scènes avec Ann-Gisél Glass – particulièrement avec elle car j'étais amoureux d'elle à l'époque, enfin, je suis progressivement tombé amoureux pendant le tournage – j'avais le sentiment que, tout à coup, ces mots que j'avais écrits, ce personnage... possédaient une vérité qui était au-delà de celle que j'avais imaginée en écrivant, qu'à travers l'interprète et les mots que je lui avais mis dans la bouche, cette fille prenait corps, vivait, avec une sorte de vérité qui était au-delà. C'est un sentiment que je n'ai pas eu avec les garçons, car avec eux j'étais sûr de mon coup, je les connaissais, je savais qui ils étaient, et j'avais une idée assez claire de ce que j'attendais d'eux. Après, très consciemment, l'écriture de *L'Enfant de l'hiver* a été déterminée par mon désir de faire un film d'un point de vue féminin. Il y a un personnage masculin qui est un peu ballotté, entre deux personnages féminins qui occupent tout l'espace du film. J'avais vraiment envie d'aller vers ça. Par la suite je n'ai fait que des films où le centre était un personnage féminin.

**Le personnage qui m'a le plus impressionné, c'est Louise dans *Paris s'éveille*.**

C'est chaque fois des filles et c'est chaque fois un peu moi. Louise, c'est peut-être celui de mes personnages où j'ai mis le plus de mes contradictions... C'est compliqué pour moi de parler de Louise... car c'est quelqu'un qui a à la fois une espèce de naïveté par rapport au monde et une volonté terrible. Elle est piégée par ses désirs qui sont en même temps, curieusement, complètement légitimes. D'une certaine façon, c'est l'histoire de tout le monde.

**Je n'ai pas du tout la manie de m'identifier, mais avec ce personnage-là, j'avais l'impression que tu avais raconté une part intime de moi, dont je ne suis pas spécialement fière en plus.**

De toi ou de moi ! J'avais envie de parler de l'aspect midinette qu'il y a en chacun de nous, de cette fascination pour ce qui brille, qui est une chose profondément humaine, qui peut-être existe plus chez une jeune fille car elle va plus spontanémentt vers le monde, vers la vie, et vers l'acceptation du monde. Une manière de dire « oui » au monde. Alors que l'adolescent va être plus intériorisé, plus dans la rétention, la méfiance, les rapports de forces. Le personnage de Louise est dans les doutes, tiraillée par ses sentiments, son amour. En même temps, elle est en face du monde, avec ce qu'il peut avoir de superficiellement attirant ou séduisant et elle a envie de se l'approprier. Il y a ce côté piège, miroir aux alouettes, dans lequel on se laisse emporter à devenir ce qu'on n'avait pas forcément envie de devenir. Mais bon, c'est l'histoire de chacun. À la fin, je la laisse en mauvaise posture, parce qu'elle s'est acoquinée avec un journaliste de télévision pas très reluisant mais qui lui donne une sorte d'accès au monde matériel. Ce désir d'accès au monde matériel, c'est quelque chose que chacun porte en soi et moi le premier. En grandissant, on affine. On se forge une morale, une éthique. On peut avoir envie de ça, mais ce n'est peut-être pas vraiment l'essentiel, il y a peut-être des choses plus importantes que ça dans la vie, etc. Mais il me semble que si à vingt ans on n'a pas envie de s'approprier le monde, il nous manquera quelque chose.

**Tu parles d'évolution morale ?**

L'évolution morale est la même pour n'importe quel artiste, tu finis par te trouver une responsabilité par rapport à tes propres ambitions. Ça dépend quelles sont tes ambitions. À un moment donné, le fait de faire un film n'est plus une fin en soi ; le fait d'être reconnu non plus. La fin en soi, c'est d'aller au bout de ce quelque chose d'irrationnel, l'envie d'écrire, de peindre, de faire du cinéma. Mon ambition, c'est d'aller au bout de ma singularité à moi en tant que cinéaste, de faire cette chose que moi seul peut faire, et d'aller au bout de cette chose. Au fond la morale, ce n'est pas « qu'est-ce que je peux gagner ou retirer du cinéma » mais « qu'est-ce que je peux apporter moi de singulier, dans ma manière de regarder les êtres, de représenter le monde ».

**J'ai lu il y a quelques jours une lettre de Gustave Flaubert à Maxime Du Camp, qui est vraisemblablement la réponse d'une lettre où Maxime Du Camp devait lui dire qu'il ne faisait pas ce qu'il fallait faire pour arriver. Flaubert lui dit : « Arriver ? Arriver à quoi ? (...) Être connu n'est pas ma principale affaire, je vise à mieux, à me plaire. Le succès me paraît être un résultat et non un but. »**

C'est absolument ce que je dis. Mais j'aurais du mal à me plaire, ce qui ne veut pas dire que je suis mécontent de ce que je fais ! Il n'y a pas un seul de mes films que je renierais. J'ai toujours su préserver cette liberté, cette indépendance. Ma satisfaction c'est de pouvoir me dire que chacun de mes films représente le mieux que je pouvais faire à ce moment-là. Plus simplement, je ne savais pas faire mieux au moment où je les ai faits. Il n'y a jamais eu une once de frustration ou de regret. L'enjeu n'est pas tant de me plaire, mais d'arriver à saisir le monde tel que je le vois. Pour moi, le sommet, le modèle impossible, c'est cette chose extraordinaire, unique et impossible à reproduire qu'a réussie Proust. Il a saisi par son art la totalité de sa vision du monde, englobant lui-même, son entreprise, son histoire, et chacun de ceux qu'il a croisés dans ce monde. Dans mes films, j'essaie de saisir un fragment de ça. Les œuvres ne m'intéressent que comme totalité proustienne.

**Est-ce que tu te mets dans une famille plutôt que dans une autre ?**

Non, je n'aime pas les familles, les groupes me font horreur, car ça a toujours à voir avec l'exclusion de l'individu singulier. Dans l'art, au cinéma comme ailleurs, ce qui m'intéresse, c'est l'individu, ce qu'il raconte dans la continuité de son œuvre. Si quelqu'un a une démarche authentique et progresse dans cette voie, ce qui m'intéresse c'est cette voie. Aujourd'hui les gens jugent les films coup par coup. Ils peuvent admirer un film d'un auteur et détester le suivant. Il faudrait être un peu dialecticien et tout simplement comprendre qu'un moment d'une œuvre n'est pas dissociable d'un autre. Ce qui m'intéresse, c'est le lien entre le film que j'admire et celui que j'aime moins, qui peut-être recèle quelque chose d'aussi précieux que l'œuvre réussie. Le film isolé, avec des étoiles dans les journaux, c'est une forme de pensée qui m'est complètement étrangère. Ce qui m'intéresse, c'est le bulletin de santé de celui qui l'a fait. C'est ça qui me touche. J'ai l'impression d'être en prise avec de l'humain, l'impression d'être au cœur de l'humain. Comprendre l'œuvre d'un romancier, où il en est dans l'existence, à quelle distance il est du noyau qui le constitue, comment il s'en approche, comment il s'en éloigne. Quand tu vois une rétrospective d'un peintre, c'est fascinant de voir les fluctuations de son rapport avec son sujet toujours unique. Aujourd'hui quand on ne juge pas les films au coup par coup, on les juge à travers une idée supérieure du cinéma. J'ai l'impression d'être coincé entre les consommateurs de films-objets et les métaphysiciens du cinéma qui ne s'intéressent ni aux films ni aux êtres mais à l'état du « cinéma » en général. La seule chose qui compte, c'est ce que le cinéma peut saisir de vivant. Quand je filme un plan, je filme un sentiment et j'essaie que ce sentiment soit vrai. Mais à un moment, cela devient un documentaire sur moi en train de filmer un acteur, une actrice, un lieu loué, une caméra, vingt personnes derrière. Pour moi tout ça est présent dans le plan. La question c'est « la vérité va-t-elle s'exprimer ? » : comment vais-je me démerder pour arriver avec cet appareil lourdingue, laborieux, à avoir une sensibilité de poète ? Le coté Boeing 747 d'un tournage...

Mon dernier film est particulier car, sous son déguisement de comédie, c'est un peu mon film hégélien, dans lequel j'essaie d'englober la chose et le regard sur la chose. C'est un film d'idées contrairement aux autres qui sont des films de sentiments. Il y a deux ou trois choses que je pense sur le travail. Je ne crois pas que ce soit un film sur le cinéma mais plutôt sur le processus souterrain de la création, cette dernière étant le produit du travail collectif, la rencontre des aspirations de l'individu avec le groupe.

**Ça m'a passionné parce que c'est exactement ce que j'ai voulu faire avec *Canines*.**

Oui, on a fait la même chose. Toi en écrivant *Canines* et moi en écrivant *Irma Vep*. On parle de l'expérience du travail. Le théâtre et le cinéma c'est ton expérience de travail collectif, de même que pour moi le cinéma, cela représente une partie importante de notre vie, on peut, à un moment donné, avoir envie d'en parler. Il y a aussi une idée à laquelle je tiens : si j'avais travaillé dans un garage ou dans un bureau j'aurais fait un film sur un garage ou un bureau. C'est la manière la plus directe dont je puisse parler du monde d'aujourd'hui. Il me semble qu'à tous les niveaux de la société, et y compris dans le microcosme un peu dérisoire que je représente, il y a cette idée que tout est bloqué, que rien ne peut en sortir, qu'on est condamné à une espèce de mélancolie, vaguement radicale, plutôt impuissante, et narcissiquement nihiliste. Cette idée négative est aussi conne que l'idée positive qui en est l'inverse. Il y a des circonstances, des êtres, la grâce qui est à portée de main et tout peut se produire, y compris les miracles. C'est ce que j'avais envie de raconter.

**Quand on parlait des *Destinées sentimentales,* tu disais vouloir montrer le travail. Or, tu as fait *Irma Vep* de façon improvisée, parce que le financement des *Destinées* prenait du retard. C'est le travail de la porcelaine qui t'as amené au travail du cinéma ?**

Peut être que les *Les Destinées sentimentales* sont le versant sérieux du versant plus anarchique et plus impertinent qu'est *Irma Vep* ! Chardonne parle d'un autre temps. Moi, de la confusion contemporaine façon documentaire. Je fais un Polaroïd d'aujourd'hui à travers *Irma Vep.* Sur la méthode, j'avais à l'esprit, dans le côté improvisé du truc, ce que faisait Godard dans les années soixante, cette manière de saisir l'air du temps, ce côté patchwork, collage, où tu fais vivre des choses complètement contradictoires ensemble. Avec le recul ces films ressemblent incroyablement à leur époque. Ils sont très beaux, car ils ont saisi des choses volatiles et fugitives. Cette légèreté-là, cette poésie-là, manquent terriblement au cinéma. J'ai fait aussi ce film en me demandant : « Est-ce qu'aujourd'hui c'est possible d'avoir cette liberté d'esprit et de ton, cette irresponsabilité ? » À l'inverse, *Les Destinées sentimentales* se situent plus dans une perspective historique. Chaque film est séduisant par ce qu'il a de nouveau.

*Les Destinées sentimentales* traitent en toile de fond de la naissance du monde moderne telle que Chardonne l'a observée. Il a connu l'ancien monde et il a vu l'industrialisation le détruire. Comment le commerce et le profit à courte vue ont transformé les équilibres traditionnels du négoce du cognac, au détriment des valeurs anciennes de l'artisanat. Comment l'internationalisation du marché de la porcelaine – on se retrouve en concurrence avec les Allemands, les Japonais qui fabriquent à moindre prix – a conduit les industriels à une surenchère : le monde s'accélère, le travail devient une sorte de bagne, ne porte plus que de la souffrance, de l'inhumanité. Chardonne parle du début du siècle, mais c'est de notre monde d'aujourd'hui, devenu inhumain, qu'il parle.

L'autre volet, essentiel, de ce que j'aime dans *Les Destinées sentimentales,* en dehors du fait qu'il parle de manière magnifique du couple, de l'amour conjugal, de la possibilité ou de la difficulté de cet amour, c'est qu'il essaie de définir ce qu'est le couple. Le couple est devenu essentiel dans la vie d'aujourd'hui peut-être parce que les gens sont plus repliés sur eux-mêmes et recherchent beaucoup moins l'accomplissement dans les choses collectives. Or, on ne sait pas parler du couple. On mélange tout, amour passion, amour conjugal, mariage, sexe, en une confusion inextricable, alors que toutes ces contradictions ne demandent qu'à être articulées.

**Tu te sens des affinités avec *Les Destinées sentimentales* ?**

Quand tu aimes un livre ou n'importe quelle œuvre, tu te sens des affinités avec son auteur. J'ai toujours eu une fascination pour l'écoulement du temps, pour la manière dont les choses se défont, ce vertige de l'époque qu'on regarde passer. D'où ma fascination pour Guy Debord qui est pour moi le grand poète contemporain de cette mélancolie-là. Ce thème de la vanité du travail humain, toujours recommencé, les occasions manquées, les regrets, les choses telles qu'on les a connues et leur dissolution... C'est le point commun de beaucoup d'œuvres qui me touchent dans l'art, en poésie et au cinéma aussi.

**Où en es-tu avec Bergman ?**

Ce petit livre d'entretiens que j'ai fait avec lui, c'est un chapitre de ma vie, un moment. J'ai cette théorie sur Bergman, qu'il est le cinéaste clé de son temps. Même par rapport au cinéma français, il a fait figure de père pour une génération entière de cinéastes.

**Tu t'inclus dedans ?**

Moi j'arrive un peu après. Il y a eu cette génération de la nouvelle vague qui se considérait comme des fils, des descendants d'un cinéma classique. Des fils en révolte qui ont refusé de façon obstinée d'être des pères !

**Tu veux dire que tu es un enfant refusé ?**

Non, pas moi, la génération qui vient juste après eux, celle de Téchiné, Jacquot, Doillon, Garrel. Au fond, ils ont été obligés de se trouver un père de substitution. Et la seule chose qui les réunit de façon homogène, c'est une inspiration profondément bergmanienne.

**Et toi ?**

Je suis entre deux générations, dans une génération où assez curieusement il y a peu de cinéastes. J'ai quarante-deux ans, je suis plus jeune que la génération d'André, de Jacquot, de Doillon, et en même temps, je me sens des affinités intimes avec leur cinéma. J'ai le sentiment de leur devoir beaucoup mais pas directement, plutôt en puisant à la même source. Je crois moi aussi à une idée bergmanienne du cinéma faite de compréhension de l'autre, où la femme et les sentiments jouent un rôle essentiel et l'écriture un rôle clé. La relation intime de l'écrit et du cinéma et la cohérence de l'expression individuelle à travers l'écriture se prolongeant dans le cinéma... c'est Bergman ! Ça pourrait être Fassbinder mais Fassbinder est plus brechtien. Chez lui, j'aime la représentation de la vie, de l'amour, du travail. Si on a envie de parler du monde et des êtres, on doit parler de ça. Et après moi, il y a une nouvelle génération assez prolifique et riche de cinéastes dont j'aime et respecte le travail. Eux font un peu effet de groupe, et il y a des choses dans lesquelles je peux me reconnaître. Mais je suis synchrone avec assez peu de gens. Et ça me convient très bien, par définition. Il y a des gens avec qui j'ai des affinités : André Téchiné, Benoît Jacquot, Claire Denis, ou Arnaud Desplechin, Cédric Kahn... Ce n'est pas une question de génération. Le cloisonnement en tranches d'âge m'horripile, chacun est dans le même monde, confronté aux mêmes questions. Les dialogues que je peux avoir avec des cinéastes c'est un peu d'oxygène.

**Tu aimes beaucoup parler de cinéma, d'écriture, bref, du travail.**

Oui, car c'est un processus en mouvement. C'est en confrontant avec autrui mes idées et mes préoccupations que j'ai l'impression d'arriver à les dépasser. L'échange et le dialogue sont vitaux pour la création. Je tiens à cette idée de l'internationalisation du cinéma indépendant. La réalité dont parle Eduard Yang à Taipei, ou Atom Egoyan à Toronto, est une réalité extrêmement semblable à la mienne. Les solutions qu'ils inventent pour en parler, la manière dont ils s'y confrontent et dont ils la représentent, me stimulent. Ce que je peux échanger avec des cinéastes étrangers est aussi pertinent que ce qui peut me lier avec des cinéastes français de mon temps.

**Tu pourrais vivre dans une autre ville, un autre pays ?**

Je ne crois pas que j'y serais bien, même si je ne trouve pas aujourd'hui le climat français très stimulant. C'est conjoncturel. Je trouve que c'est très étriqué, très fermé sur soi-même. Il y a des moments où on est inspiré par sa ville, son pays. En ce moment, je n'ai pas l'impression d'y trouver beaucoup d'oxygène...

**D'où ton désir de retourner des années en arrière avec *Les Destinées sentimentales* ?**

Non, faire ce film est essentiel mais c'est aussi une forme de parenthèse car, encore une fois, c'est un film que je n'ai pas écrit. Le film que je ferai ensuite existe sous forme de plan...

**Déjà ! Mais quelle rapidité !**

Non, je ne le dirais pas comme ça. Il s'agit de mon désir de considérer la fabrication des films comme un tout organique ayant sa source dans un désir, une envie. Chaque film définit son propre rythme, son propre temps. La rapidité, par exemple, s'applique à un film comme *Irma Vep*, avec son côté casse-cou, qui fait qu'on se lance dans quelque chose qui a à voir avec l'air du temps et qui exige qu'on réagisse. Mais les autres films, quel que soit le temps que j'ai passé à les écrire, ont souvent des histoires assez longues, avec des idées qui s'élaborent, se transforment, se métamorphosent. À un moment donné le film a pris forme, je l'écris et je le tourne. Ce film dont je te parle est là dans mon esprit, depuis trois ans. C'est une envie que j'avais mais il me manquait quelque chose, la manière de l'articuler. Progressivement je me suis aperçu que je l'étoffais de plus en plus. Puis les personnages ont commencé à vivre. C'est un peu comme un peintre dans un atelier qui travaille sur plusieurs toiles en même temps. Il va commencer un autre canevas, mais il prend un fusain et dessine un truc en dix minutes, alors que ses grandes toiles sont en train d'attendre.

**Est-ce qu'on peut dire que tu es tout le temps dans le mouvement du travail ?**

J'utilise beaucoup le mot travail, même si je crois qu'une pratique artistique n'a de sens que si elle implique la totalité de l'individu. Ma vie, mes films et cette conversation avec toi appartiennent à une seule et même chose, il n'y a pas de frontières. Au fond écriture et plaisir se rejoignent très vite. Y compris dans ce que ça peut avoir de désespérant, de lutte avec la matière. Tu sais, ces journées entières où l'on est incapable d'écrire une ligne parce qu'il y a quelque chose qui manque, en réalité tu ignores si cette chose manque réellement, et quand la solution vient tu te rends compte qu'il n'y avait aucun problème réel ! Cette météorologie particulière de la création, cette impression d'être au fond du gouffre... Avec ce que ça implique de mise à nu. J'ai toujours été en désaccord avec l'idée de l'écriture comme exutoire. Je pense exactement l'inverse. Par l'écriture on ne fait que rouvrir les plaies, les envenimer. Là où il devrait y avoir travail de deuil, tu refais vivre des choses qui te font souffrir, dont tu as peur. Ça te met dans un état de vulnérabilité, de sensibilité qui peut être très douloureux. L'écriture fait de toi un être plus souffrant que les autres qui sont uniquement dans le faire, le penser. La création est toujours ancrée dans un noyau difficile à affronter. Quand on dit qu'il y a quelque chose d'authentique, on parle de cette douleur. Même si le mot douleur est sans doute un mauvais mot. Il y a un truc assez brûlant au contact duquel on peut se faire mal. Et on y revient tout le temps comme une espèce de papillon qui tourne autour d'une flamme.

**Sinon, il manquerait quelque chose ?**

Oui, il manquerait quelque chose à un film, à un livre. C'est pour ça que je ne comprends pas le cinéma de genre, le cinéma d'imagination, d'évasion. Je peux le consommer mais je ne comprends pas très bien comment on peut avoir la patience de le faire. Là, pour le coup, ça devient du travail. Je le respecte, ça m'intéresse, mais c'est un monde qui m'est étranger.

**Dans sa préface pour *Le Bleu du ciel* Bataille dit : « Comment s'attarder à un livre auquel l'auteur n'aurait pas été contraint ? »**

Ça résume la totalité de mon rapport au cinéma. Une chose qu'avait dite Garrel m'avait frappé : il évoquait ces moments dans la vie où on ne peut lire que de la poésie, de l'autobiographie... quand on est tellement au fond de soi-même qu'on ne peut pas attendre moins d'une œuvre d'autrui. Il y a des moments où je suis incapable de prendre un livre de fiction, un roman policier, ou d'aller voir un film hollywoodien. Des moments où il n'y a que dans la poésie, dans l'expression la plus pure de l'émotion, que j'arrive à respirer.

**Avec le texte d'un autre, de Chardonne, c'est la même alchimie ?**

J'expérimente, j'ai envie de ça, je suis curieux de ça. Faire ce film-là me donne la possibilité de travailler avec Daniel Auteuil qui est un comédien passionnant ; d'avoir des moyens dont je n'ai jamais disposé ; au fond de pratiquer le cinéma de manière différente. Jusqu'à présent, j'ai presque le sentiment de n'avoir fait que des films d'enfance. Comme si je n'étais pas complètement dans le monde des adultes du cinéma ! C'est mon premier film où je suis obligé d'être un adulte, de me présenter comme cinéaste, comme metteur en scène ! Je ne suis pas sûr de vouloir reproduire cette expérience-là ensuite, mais ça m'intéresse, pour une fois, d'être cinéaste. Je suis curieux de le vivre. J'ai le sentiment qu'il y a quelque chose de moi qui peut s'accomplir là-dedans, et qui a à voir avec mon goût pour le cinéma. Ça rejoint Louise dans *Paris s'éveille,* le goût pour les choses qui brillent, cette matière du cinéma romanesque, classique, qui appartient de façon inextricable à mon désir. Il n'y a pas que le monde des idées pures. Il y a aussi Visconti, la sensualité des choses. Je l'ai toujours à l'esprit. Il y a d'un côté Bergman et de l'autre Visconti. Ce sont les plus grands modèles, ceux auxquels j'adhère de la totalité de mon être, pour lesquels j'ai une admiration sans bornes.

**Tu tournerais quand ?**

Cet été, en août. D'ici là, j'ai un film à finir, encore quelque chose que je ne sais pas faire. Après avoir fait ce que je ne sais pas faire (une comédie) et avant de faire ce que je ne sais pas faire (un film en costumes), j'ai fait un documentaire, genre qui m'est étranger ! C'est le portrait de Hou Hsiao-Hsien, un cinéaste taïwanais qui est un ami depuis plus de dix ans. On s'est connu quand j'étais journaliste, en 84. À mon sens, c'est un des plus grands cinéastes contemporains. J'ai passé une semaine à faire un film sur lui pour la série « cinéma de notre temps » d'Arte. Je n'ai pas encore commencé à le monter mais je pense qu'il y a suffisamment de matière pour en faire un film long métrage si les producteurs le veulent. J'ai trouvé ça passionnant, mais ça ne prendra forme qu'au montage. Pour l'instant c'est une espèce de bloc en chinois. Neuf heures d'entretien en chinois ! Si je suis content du texte, peut-être que j'essaierai d'en faire un petit livre. Comme avec Bergman, pourquoi pas ? Qu'est-ce que tu as lu ces derniers temps ?

## L'âge du sida

### JEAN-CLAUDE BERNARDET
### LA MALADIE, UNE EXPÉRIENCE
**traduit par Henri Raillard**

Egon Schiele, *Homme nu accroupi (Autoportrait)*. Graphische Sammlung Albertina, Vienne.

# JEAN-CLAUDE BERNARDET

# LA MALADIE, UNE EXPÉRIENCE

Il me poserait la question, de même que l'autre médecin m'avait posé la question quand était apparue la contamination, tous posaient la question, une question routinière. Je répondrais que je ne savais pas. Pas même une idée ? Non, je peux vous dire quand je l'ai appris, ma science ne va pas au-delà. Je ne veux pas savoir, nous n'en finissons jamais avec le mythe des origines, ça s'est fait, ça s'est fait, c'est tout. Alphonse, Paris 84, personne ne se préoccupait beaucoup, personne ne parlait de capotes, virtuose de la baise, il n'y avait pas moyen de résister à Alphonse, je l'avais connu dans une fête huppée, ami d'un magistrat en vue, ces gens ne devaient pas être contaminés. Peut-être l'étaient-ils. En allant chez lui pour encore une baise géniale, Alphonse me raconte comment il s'était envoyé en l'air quelques jours auparavant avec deux mecs sous les arbres d'une place, très fier de la performance, j'ai senti le terrain glissant, mais il valait mieux continuer comme ça, si ça devait arriver c'était déjà arrivé, et lui parler de capote ça aurait tout cassé, pas question. Fernando, dans les années 80, nous n'avons jamais pris de précautions, l'amour était tel que nous nous imaginions, je suppose, immunisés l'un à l'autre, Fernando couchait ailleurs, moi aussi, avec les autres je me protégeais. Un accident avec la capote à la fin des années 80. Et alors ?

Je suis sorti rassuré de chez le médecin, les pieds sur terre, sur cette base : peut-être que je mourrai tout de suite, ce qui ne m'importe pas trop, seuls m'effrayent des mois d'agonie, les lits d'hôpital, la peau opaque, le regard des autres. Tant que je serai actif et que mon aspect sera au moins préservé, je vais de l'avant. Mais on ne meurt pas du sida comme d'un infarctus, dommage. Je me dis : peut-être que je mourrai tout de suite, mais ce que ce médecin pourra faire il le fera, et ce sera pour le mieux. Je me dis : une appréciation technique du médecin par le patient est impossible, restent à peine l'efficacité du traitement et la confiance, peut-être plus la seconde que la première. La confiance est ancrée, donc tout est pour le mieux.

Je suis débarrassé de la médecine publique, ce qui me tuait, peut-être plus que la maladie, c'était le manque de confiance. Un médecin a reconnu avoir commis des erreurs de dosage dans un médicament, juste une petite méprise sans grandes conséquences, mais assez pour que je panique, pour que je me sente instable, sans références. Le temps dans la salle d'attente affaiblit, malgré les rendez-vous fixés on ne sait pas à quelle heure on sera reçu. C'est le cruel défilé : des visages marqués par le sarcome de Kaposi, des malades qui essaient de marcher soutenus par des amis, les yeux enfoncés dans leurs orbites de presque squelettes, la cruauté des malades envers ceux qui les accompagnent qui font toujours tout de travers, les mouvements d'impatience difficilement surmontés, mais qui laissent des marques sur le visage des amis, qui se veulent amis mais qui ne le sont peut-être pas. Un monsieur fait l'éloge de sa maladie : il vivait sans but, gaspillait son temps et sa santé, la maladie lui a fait du bien, maintenant il connaît l'importance de la vie, de chaque minute. Il parle fort, je regarde et j'écoute, je réalise que sa réaction est salutaire et réconfortante, mais je ne me laisse pas atteindre. Je ne vois que les autres : c'est là mon futur. J'arrive au cabinet médical épuisé, quoi que puisse dire le médecin je n'aurai aucune réaction, une gentillesse de façade me rendra indifférent. La psychologue me

fait comprendre que les choses ont changé, que je n'ai plus
mon énergie passée, que je dois me tenir sur mes gardes,
que je dois me préparer – à quoi ? à la mort –, si je pense
qu'il va pleuvoir, même s'il ne pleut pas je dois sortir avec
un parapluie pour me protéger, je pense que le temps va
fraîchir, même s'il ne fraîchit pas je dois prendre un vêtement chaud. Je raconte ces conseils à une amie, elle trouve
qu'ils sont sensés, je finis par me convaincre qu'ils sont
sensés. Je les avais entendus résigné, je ne trouvais cela ni
sensé ni insensé. Maintenant je trouve que ce sont des
conseils sensés. Je dois être en progrès, je deviens plus réaliste. Ayant tout le temps mal au cœur, je n'ai pas envie de
manger. Mon amie prépare avec amour des plats froids, des
salades, du fromage. En mangeant petit à petit, ces aliments
passent et l'emportent sur la nausée.

Je dois sortir de ces limbes des presque morts vers où je suis
poussé, ce qui va me tuer ce n'est pas la maladie, c'est le filet
qui se referme autour de moi, les malades de la salle d'attente,
les conseils amicaux, les couloirs des hôpitaux publics, le médecin dont je me méfie et qui n'accorde pas la moindre attention
au léger mal de tête que je ressens depuis quelques jours. Peut-
être est-ce l'effet du traitement, si ça continue revenez. Revenir, à nouveau l'attente, la salle d'attente, les infirmières qui
bavardent à propos des collants que l'une d'elles a achetés à
un vendeur qui démarche les établissements publics, pendant
que l'autre me prélève du sang sans me regarder. Qu'elle ne
sourie pas si elle ne le veut pas, mais merde, me regarder...
Qu'elle s'enfile le collant sur la tête. Ce qui se crée autour de
moi n'a pas de forme, c'est gluant et ça n'a pas de nom. Et
ça étouffe. 36,6, 36,7, 36,8, la température monte. Chaque
jour un peu plus. Le médecin dit que ce n'est pas de la fièvre.
Ça en est, parce que je le sens. Au-dessus de 36,5 je suis déjà
fébrile. Mais la fièvre c'est seulement à partir de 37, insiste le
médecin. Un ami pense qu'une infection essaie de s'installer
et mon corps commence à se défendre, peut-être n'y arrivera-

t-il pas. Prendre ma température est devenu une manie, comme d'ouvrir la bouche en quête de plaques blanches, me palper le cou, les aisselles et l'aine à la recherche de ganglions menaçants.

Je vais chercher un autre médecin, je dois sortir du tourbillon. Un médecin de première catégorie ? demande un ami. Inutile, tu ne vas pas pouvoir payer. Si, j'arriverai à un arrangement avec lui. Il est préoccupé par mon mal de tête, maintenant plus fort, plus constant. Liquide encéphalorachidien : c'est le nouveau personnage, les humeurs. Rester absolument immobile avec l'aiguille dans la nuque, c'est la terreur. Mais ce n'est déjà plus la terreur, la confiance dans le médecin, je ferai tout ce qu'il me dira de faire, c'est décidé. Je me concentre, je ne bouge pas d'un millimètre, l'aiguille entre, style c'est maintenant ou jamais. On me laisse me reposer. Mon accompagnateur vient me chercher, il dit que j'ai beaucoup dormi, je ne m'en suis pas rendu compte. L'assistant dit que les résultats seront prêts demain. Le lendemain, je sors faire n'importe quoi, je n'aurai pas la force de revenir à la maison maintenant, je prends un taxi, j'ai de l'argent, je n'arrive pas à le trouver, le chauffeur accepte un chèque, j'essaie de remplir avec des lettres l'espace des chiffres, les lettres ne tiennent pas et je n'arrive pas à aligner les chiffres dans l'espace des lettres, j'abandonne le chèque, j'en essaie un autre, les numéros continuent à ne pas s'organiser dans l'espace des lettres. Je renonce, je sors, j'entre dans l'immeuble, je vais dormir. Demain je dois aller chercher le résultat des humeurs, je ne pense qu'à ça, demain ne pas oublier. Coup de téléphone du médecin, quand ?, il a déjà réservé une place pour moi à l'hôpital et a laissé des instructions, immédiatement. Je préviens mon accompagnateur, il faut trouver un taxi. Téléphoner à Fernando, je n'arrive pas à me rappeler le numéro, je regarde dans le carnet d'adresses, je vois le numéro, je n'arrive pas à le composer dans l'ordre, une fois, plusieurs.

Alors téléphoner à mon frère : je lis un à un les numéros mais je ne compose pas la séquence exacte, je ne vois pas où est l'erreur, mais il y a une erreur. Je renonce. Le jour d'après, le médecin me demande pourquoi je ne suis pas allé chercher les résultats, mais c'était demain. Mon frère me demande pourquoi je ne l'ai pas prévenu, aura-t-il cru à ma réponse ? je n'ai pas réussi. Maintenant je dois le dire, J'ai la méningite, mais ce n'est pas la question essentielle, le fait est que j'ai le sida. Il réagit comme s'il était déjà devant mon cercueil, mais comment pourrait-il réagir autrement ? le sida c'est la mort annoncée. Il me fait de la peine, à cause de la peine qu'il ressentira à ma mort, la veillée funèbre, le cortège de voitures, la crémation, tout. Ma sœur elle aussi est arrivée, elle questionne et discourt au pied du lit : pourquoi ne les ai-je pas prévenus ? avalanche de reproches mêlés à des déclarations d'amour. En résumé : ils m'aiment, mais je ne leur laisse pas la possibilité de montrer qu'ils m'aiment. Elle est blessée de la peine que j'ai causée à mon frère – mais d'un pédé, que peut-on attendre ? : voilà le sous-texte. Sans la force de répondre, préoccupé par mon frère, déconcerté par la situation, bien que des mots me passent par la tête. Le lendemain mon frère fait preuve d'une affectivité qui m'émeut, il veut que son fils sache et demande que ce soit moi-même qui lui annonce ma situation. Je parle avec mon neveu, je dis que j'ai quelque chose à lui dire, il répond, Je ne t'en aime pas moins pour autant. Cette déclaration d'amour me glace. Dit-on à un cancéreux ou à quelqu'un de grippé, Je ne t'en aime pas moins pour autant ? J'affiche une mine compréhensive et, la voix un peu basse, je dis Je sais.

Je terminerai le traitement en médecine générale. J'en ai réchappé ? Mon rétablissement rapide a surpris le médecin, les infirmiers, la famille et *tutti quanti*. À ma mutuelle ils me disent qu'ils ne couvrent pas cette maladie, par notification supérieure. J'ai été admis dans cet hôpital de première catégorie pour la première et la dernière fois, la dame qui me transmet l'information n'est pas des plus aimables. Elle ne parle pas de maladie, encore moins de sida, elle dit, *Votre problème.* Je ne réponds pas, Mon problème c'est vous madame, j'ai peur d'empirer la situation. J'essaie de la forcer à prononcer le mot, je dis, Quel est mon problème ?, elle répond, Vous le savez, c'est votre maladie. Elle ne le prononce pas, le mot. Elle ajoute, généreuse, Mais la mutuelle est disposée à aider l'État qui n'a que de faibles ressources. Je pourrai à nouveau être admis, dans un autre hôpital, distant, à Mandaqui – les amis viendraient-ils m'y rendre visite ? Je demande s'il est bien (mon médecin devait me dire plus tard que c'est l'un des pires de la ville), elle répond qu'ils font même des opérations du cœur. Je suis faible, dominé, et la réponse ne m'est venue que longtemps après : il y a eu des survivants ?

Quotidiennement, fidèlement, mon compagnon m'emmène au dispensaire, peut-être un peu déçu, l'hôpital était plus réel, plus palpitant. Je prends le métro, je marche tout seul calmement, un peu lent à mon goût, mais tant pis, l'accompagnateur c'est seulement pour la compagnie et pour le cas où. Luís Antônio aime ma mort, la mort qui pour l'instant est seulement en moi, mais qui va devenir publique, fleurs et larmes. Il n'arrive pas à se convaincre qu'il aime plus ma mort que moi-même, il ne comprend pas. Il n'a pas besoin de comprendre, il vit ça, et moi, verbeux, qui fais des efforts pour qu'il comprenne. Combien de fois après une bonne et amoureuse séance de baise il m'a dit avec tendresse, Je resterai avec toi jusqu'à la fin ! Ce n'est pas qu'il associât une relation sexuelle à la contamination, nous étions parfaitement tranquilles, car le sexe, l'amour et la mort se fondent. Luís Antônio ne s'est pas troublé quand je lui ai dit que j'étais malade, les liens même se renforcèrent : faire l'amour avec quelqu'un destiné à une mort imminente était excitant. Ce goût morbide, une certaine forme d'amour, me convenaient parfaitement : malade, j'avais une vie sexuelle heureuse. Un jour Luís Antônio voit le marché aux fleurs bondé, des gens en train d'acheter, il sait que j'aime les fleurs et décide de m'en offrir. C'était un premier novembre. Il ne s'en est même pas rendu compte. La crise arrive : ils m'injectent le remède au dispensaire, des frissons me secouent, 39 degrés. J'essaie de marcher, mes jambes ne me portent pas, mon fidèle écuyer et l'infirmière me soutiennent. Novalgine. Ma température revient à la normale. Je téléphone au médecin, il avait réduit le sérum pour rendre l'effet des piqûres plus rapide, et il avait supprimé les antipyrétiques pour diminuer la quantité de médicaments qui entrent dans mon sang, et il conclut, Vous êtes parvenu à votre *borderline*. C'est un traitement personnalisé, pas une application mécanique de doses préétablies, il y a quelque chose d'expérimental là-dedans, un risque contrôlé, le médecin, la maladie, mon corps et moi dialoguons, je me motive. Après le choc thermique et la stupeur, ma confiance dans le médecin grandit. Un ami me trouve fou, ceci n'est rien d'autre qu'un manque d'attention médicale de plus, aux patients de le supporter. Je n'arrive pas à lui faire comprendre combien il est intéressant d'être sur la *borderline*.

Heureuse coïncidence, je ne sais, je retourne à l'université, l'institution ne s'est aperçue de rien. La méningite a coïncidé avec un voyage déjà programmé, mon remplacement était prévu. Il a suffi d'une note informant que, pour raisons de santé, le voyage n'aura pas lieu. Je tenais informés depuis le début les professeurs les plus proches, j'ai reçu d'eux appui et affection depuis que j'ai commencé le paquet d'analyses et jusqu'à ce qu'on découvre l'origine des symptômes. Des semaines, les analyses s'échelonnent, la dernière a été l'Élisa. Les médecins de la mutuelle ne demandent pas toutes les analyses d'une seule fois, ça coûterait cher à l'entreprise, pour un médecin de mutuelle, jeune sans expérience ou vieux en fin de carrière, d'abord l'entreprise ensuite le patient. La toubib dit que la maladie n'est pas de son ressort, je dois m'adresser à un immunologiste. Lequel ? elle ne peut me le dire. Je sors de la clinique. Tout est là, les arbres, les maisons, les trottoirs, le bitume. Tout, mais c'est comme une apparence transparente. Je peux fouler le sol, je sais qu'il ne va pas se dérober, mais c'est un raisonnement, pas une sensation. Fábio m'accompagne, il ne sait que dire, je ne sais que dire, y aurait-il quelque chose à dire ? Que va-t-il se passer ? Comment cela va se passer ? Quand ? Il est onze heures du matin, nous allons prendre une bière, rien d'autre ne me passe par la tête...

Remis de la méningite, je reprends les cours, je reprends le film. Ce dernier ne va pas bien. Le type du laboratoire ne rend pas le matériel, je ne peux pas faire le montage, nous sommes loin de la fin.

(...)

Je ne suis plus le même, le même individu qu'avant mais maintenant malade, la maladie a créé un nouvel individu ou bien j'ai créé un nouvel individu par la maladie. Une vibration nouvelle rend tout plus aigu. J'essaie de faire un bilan,

*Jean-François,*
*J'attends le médecin et je t'écris. Quoi de nouveau en matière de santé (ou de maladie) ?*
*1) Je fais l'impossible pour devenir un phénomène mais je n'y arrive pas. De toute façon, une petite victoire.*
*2) La méningite est guérie = ils ne trouvent plus trace du* criptococcusneoformans *(c'est le champignon de la méningite, l'autre, le virus, est toujours là) dans mon corps. Pourtant, ça n'arrive pas avec les porteurs tranquilles, mais être toujours présent. Donc perplexité, compte rendu à une femme médecin française. Je pense à une nouvelle carrière : me présenter dans des congrès de médecine. Mais, s'il y a des victoires, il y a aussi des défaites :*

*3) l'AZT n'opère plus. Le système immunitaire est aussi brisé qu'au début de l'année. Par conséquent*

*4) je prends du DDI, ce qui est extrêmement fastidieux : une dose toutes les douze heures avec une heure et demie à jeun avant et une heure et demie à jeun après. La journée est en grande partie rythmée par ces maudits comprimés. En contrepartie*

*5) aucun des effets collatéraux habituels : troubles intestinaux, nausées, douleurs musculaires. Mais, au-delà de la question physiologique, je me demande s'il n'y a pas une question psychologique. Je m'observe et je pense que la maladie entraîne des modifications.*

*6) Je me sens supérieur. Le fait d'être malade, d'avoir cette maladie, me donne l'impression d'appartenir à un groupe privilégié, à un corps d'élite. Ne me demande pas pourquoi, c'est, peut-être, certainement, un peu dément, mais c'est comme ça. Peut-être que Fernando ressent quelque chose de cet ordre, mais dans son cas c'est moins clair.*

*7) Je fais très attention à ma tenue et j'apprécie les chaussures en cuir avec des talons un peu plus hauts que la moyenne. En réalité, je souhaite m'habiller avec une élégance un peu recherchée, bien au-dessus de mes moyens... Je pense qu'appartiennent au même paradigme :*

*8) aimer chaque fois plus manger des desserts élaborés et*

*9) Prendre chaque fois moins l'autobus et chaque fois plus de taxis, malgré les augmentations presque hebdomadaires, l'inflation commande. Cela s'inscrit également dans un autre paradigme : ne pas perdre de temps, si ce n'est de façon agréable avec des amis. Leur écrire, bien qu'un peu tard. Recevoir des lettres d'eux, bien qu'un peu tard.*

*10) Je n'ai pas la moindre patience avec les pachydermes, nombreux de par le monde. Avoir chaque fois plus tendance à privilégier les étudiants qui se distinguent par leur intelligence et leur sensibilité.*

*11) Ne pas supporter le nouveau chef, qui est borné. Tous se plaignent, mais personne ne fait rien. Il est en train de détruire*

# LA NOUVELLE
# REVUE FRANÇAISE

Rédacteur en chef : Bertrand Visage

En janvier 1953, la *Nouvelle Revue Française* reparaissait après dix ans d'absence. Elle a continué depuis lors et demeure aujourd'hui en France la seule revue mensuelle entièrement consacrée à la littérature.

Non à la littérature qui s'agite ou s'essouffle, mais à la littérature qui vit. Au cours de ces dernières années, outre des textes de grands contemporains (de Julien Gracq à Octavio Paz, d'Ernst Jünger à Joseph Brodsky), outre encore des inédits d'époque et d'origine diverses (Goethe, Leopardi, Proust, Rousseau, Tao-Yuan-Ming), la *NRF* a accueilli la plupart de ceux dont le nom est désormais associé à un renouveau des lettres, et ouvert ses pages à de nombreux acteurs qui compteront demain.

Poursuivie dans la rubrique *Reconnaissances*, la réflexion critique est soutenue dans la *NRF* par la publication d'ensembles consacrés à des écrivains et poètes reconnus ou encore mal situés par le public (1).

Fidèle à la définition rappelée dans l'éditorial du n° 1 de cette série, ainsi la *NRF* se veut-elle toujours *nouvelle* par son attention, *revue* par sa diversité, *française* par son goût pour la langue et son indépendance.

(1) *Goethe* (n° 422, mars 1988), *André Frénaud* (n° 430, novembre 1988), *Francis Ponge* (n° 433, février 1989), *Présence d'Héraclite* (n° 436, mai 1989), *Les écrivains voyagent* (n° 438-439, juillet-août 1989), *Henri Thomas* (n° 442, novembre 1989), *Poètes des années 80* (n° 443, décembre 1989), *Jude Stéfan* (n° 448, mai 1990), *L'Orient, proche, extrême* (n° 450-451, juillet-août 1990), *Roger Munier* (n° 460, mai 1991), *Les Écrivains et la Musique* (n° 462-463, juillet-août 1991), *Jacques Borel* (n° 467, décembre 1991), *Georges Lambrichs* (n° 473, juin 1992), *André Dhôtel* (n° 476, septembre 1992), *Jean Grosjean* (n° 479, décembre 1992).

## BON D'ABONNEMENT A LA REVUE

## LA NOUVELLE
# REVUE FRANÇAISE

édittée par **GALLIMARD**

BON A RETOURNER COMPLETE A L'ADRESSE SUIVANTE:

**SODIS REVUES BP 149 - Service des abonnements**   Tél : 01.60.07.82.15
**128, avenue du Maréchal de Lattre de Tassigny - 77403 LAGNY Cédex**

☐ Je désire m'abonner à la revue mensuelle **LA NOUVELLE REVUE FRANCAISE**

| | | | | |
|---|---|---|---|---|
| - FRANCE et DOM-TOM | ☐ 6 mois : F | 287,00 T.C. | ☐ 1 an : F | 525,00 T.C. |
| - ETRANGER | ☐ 6 mois : FF | 295,00 | ☐ 1 an : FF | 535,00 |
| - EDITION DE LUXE FRANCE | ☐ 1 an : F | 1159,00 T.C. | | |
| - EDITION DE LUXE ETRANGER | ☐ 1 an : FF | 1273,00 | | |

Tarifs à compter du 1er Janvier 1997

☐ Règlement ci-joint à l'ordre de **SODIS NOUVELLE REVUE FRANCAISE**
   ☐ C.C.P. N°14590-60R PARIS (3 volets)   ☐ Chèque bancaire

NOM / PRENOM   ECRIRE EN CAPITALES. N'INSCRIRE QU'UNE LETTRE   PAR CASE. LAISSER UNE CASE ENTRE DEUX MOTS. MERCI

RESIDENCE / ESCALIER / BATIMENT

NUMERO   RUE / AVENUE / BOULEVARD OU LIEU-DIT

COMMUNE

CODE POSTAL   BUREAU DISTRIBUTEUR

CC _ I _ N _ F _

*systématiquement les brillantes conquêtes des quatre années de l'administration antérieure. Réunion dans quelques jours. J'ai déjà prévenu quelques collègues que si les résultats de la réunion n'étaient pas satisfaisants, et ils ne peuvent pas l'être, j'arracherai la plaque fixée sur la porte du directeur survalorisé, sur laquelle il est écrit : Direction. Ce chef a déjà dit que je lui avais fait monter le taux de cholestérol à 221. Prochaine étape : 312. Je ne cours aucun risque.*

*12) Considérer l'ironie comme une valeur supérieure à toute autre. Mais prendre ça ironiquement, c'est-à-dire, considérer que la grande force de rénovation de ce monde est le fondamentalisme sous toutes ses formes. Considérer que les témoins de Jéhovah qui ont refusé que leur fils reçoive une transfusion et ont préféré le laisser mourir, ou les Égyptiens qui veulent détruire les pyramides car les pharaons appartenaient à une société pervertie doivent être sérieusement pris en considération. Considérer que le monde moderne est tendu entre l'ironie et les fondamentalistes, et que la seule chose qui compte c'est cette tension. Pour s'informer – par l'ironie, vu qu'il n'y a pas d'autres chemins – sur certains aspects du fondamentalisme, suivre un cours de théologie de Leipzig Christina Rücke. Ne pas s'empêcher pour autant de faire l'amour avec les fondamentalistes, s'ils font bien l'amour et si l'occasion se présente.*

*13) Je souhaite produire beaucoup. Le film va bien, malgré les énormes difficultés psychologiques provoquées par l'assistant du laboratoire car les difficultés techniques ont été, je crois, surmontées et nous arrivons à des tests d'image en couleur et noir et blanc de haute qualité. Mais le type est fou, hypocondriaque, il n'a aucune notion du temps (les tests ont été remis avec sept mois de retard et les financiers ont bloqué le compte en banque, maintenant il est débloqué), et mal marié. Sa femme me téléphone pour me dire que son mari est malade parce qu'il travaille avec moi. Ensuite le mari me téléphone pour me dire que sa femme est folle et que je dois ignorer tout ce qu'elle pourrait me dire. En contrepartie, j'ai commencé à travailler avec un compositeur sur la bande-son, il est cool.*

Cette lettre était nécessaire, mais n'en est pas moins déplacée. Je sais que je suis un malade privilégié. Ce que je vis, j'essaie de le vivre, comment serait-ce possible pour celui qui est sorti de sa banlieue juste avec l'argent du billet pour aller à l'hôpital et qui, au retour, a trouvé ses vêtements brûlés par sa famille pour éviter la contagion ? cet autre, sans emploi parce que malade, soutien de famille de parents de plus de soixante-dix ans, lessivé par la diarrhée, et qui ne mangeait rien jusqu'à ce que vers la fin de l'après-midi nous soyons parvenus à lui apporter quelque nourriture ? cet autre, dénoncé par son teint chaque jour plus terne, terrorisé à la perspective de devenir un objet de plaisanteries machistes si ses collègues venaient à le découvrir ? Je suis un sidéen privilégié. La maladie est une source d'énergie. La maladie n'est pas une source d'énergie, la source d'énergie c'est l'affrontement avec la maladie. Fernando me réprime et ne veut pas entendre ce que je dis. Je dis sida, et je ne dis pas maladie, je dis JE SUIS SIDÉEN, et je ne dis pas Je suis malade ou Je suis porteur du HIV. Puisqu'on a le sida, au moins qu'on vive la maladie avec intensité. Ça le gêne, Pourquoi être si dur, si agressif ? (je n'ai aucune tendance pour le politiquement correct), il préfère des formulations plus légères, à sa manière il lutte. Dans le foyer du premier étage du théâtre Ruth Escobar, il s'assied sur un parapet qui donne sur la rue, je le sens faible, je lui demande de changer de place. Bien qu'obstiné, il accepte. Ce serait trop bête, on fait tant d'efforts pour continuer à vivre. Tirer de l'énergie de la maladie implique de la nommer et de la regarder en face. Je travaille frénétiquement et j'obéis rigoureusement à tous les ordres du médecin. Je sors de l'université, j'ai un rendez-vous mais je m'aperçois que j'ai oublié le remède que je devais prendre, je retourne à la maison, et j'arrive au rendez-vous en retard. Fernando me critique, C'est devenu une manie, lui aussi avait oublié, Si j'oublie de le prendre une fois ou si je le prends plus tard, où est le problème ? Non, je fais tout au pied de la lettre. Un agenda électronique rythme ma vie sonnant l'heure des médicaments, je ne le débranche jamais, il est devenu une prothèse. Tu es obstiné et obsessif, détends-toi un peu, ça te fera du bien. Au bistrot, une querelle de plus. Il demande un jus d'orange. J'annule sa commande, Comment prendre un jus d'orange quand on a des troubles intestinaux ? Fernando crie qu'il ne supporte plus de se priver de tout, de ne boire que de l'eau, tous les jours. Nous mangeons notre sandwich en nous regardant comme chien et chat. En sortant, il reconnaît qu'en y pensant bien, j'ai partiellement raison. Je le prends dans mes bras. Je l'aime.

L'apprentissage intime du sida je l'ai fait avec Fernando.

Au début, timidement. Seulement trois jours après avoir fait le test, il me l'a dit. Pourquoi ne pas m'avoir appelé ? Question d'autosuffisance. Je le retrouve le jour des résultats, nous allons dans un bar, je l'observe mais je ne perçois aucune altération sur son visage, nous parlons de cinéma, de théâtre, de la pluie peut-être. Finalement je lui pose la question, il répond, Pourrait-il en être autrement ? L'état de Fernando a empiré rapidement, dysenterie incessante, déshydratation, la peau terne. Je lui apporte de la terre, beaucoup de terre, convaincu que je sais que la terre tient les intestins. Sans aucun résultat, mais aussi il en prend si peu, il faut en prendre beaucoup. Fernando ne supporte pas qu'on lui dise qu'on l'aime, il trouve ça ringard, sans classe, mais tant de terre, c'est de l'amour. De la maladie, il ne veut pas en parler, en filigrane il insinue qu'il mourra bientôt. Faire face aux faits avec leurs noms, impossible. Alors, j'écris pour trouver un terrain plus ferme où marcher,

*Jean-François,*
*Fernando est séropositif.*
*Il ne veut parler de cela à personne. Pour l'instant seulement*
*à moi, et encore. Je suffoque. Alors je crie de loin, par lettre.*
*Il s'est remis à travailler, il va même plutôt bien, d'une certaine*
*façon. Il a maigri, il est blanc, non gris, marron. Il a déjà des*
*symptômes inquiétants. Avant même les résultats, je savais qu'il*
*était séropositif.*
*À bientôt, il est tard, je vais me coucher. Les nuits sont diffi-*
*ciles.*

(...)

Sans Fernando, dont l'état visiblement empire et qui ne s'attribue que quelques mois de vie, le film tire à sa fin. Je trompe la surveillance de l'hôpital, j'arrive à la chambre, Fernando n'a qu'une faible réaction. Je veux qu'il aille à la salle de bains, qu'il se lave le visage et se brosse les dents. L'infirmière entre, elle va m'expulser. Non, j'aide à changer les draps du lit, à habiller Fernando, elle me remercie. Je soutiens Fernando quand il sort de la salle de bains, il se couche, son aspect a changé, il est plein d'entrain. L'empressement de mon écuyer, à l'époque de ma méningite, a provoqué la jalousie de Fernando, il n'a pas réagi, il ne l'a pas démontrée. Ce n'est que maintenant qu'il la révèle. Je comprends ce qu'il ne dit pas, ce qu'il ne veut pas dire. À cet instant. Maintenant je dois sortir, ce n'est pas l'heure des visites. Fernando me demande de revenir avec un appareil photo. Le lendemain, j'arrange ses cheveux et il pose pour moi, d'abord dans le lit, il parvient à se lever et à aller jusqu'à la fenêtre, est-ce que c'est bien là l'image qu'il veut laisser de lui ? Pourquoi pas le portrait que j'ai fait de lui, où il ressemble à un jeune premier de *film noir,* qu'il a demandé d'agrandir et d'encadrer ?

De nouvelles analyses de sang ne donnent pas de brillants résultats, les T4 se sont effondrés. Comme l'a dit un petit malin, en matière de T4 je suis dans les chèques à découvert. Pourtant, je ne me sens pas mal, bien que fatigué et agité, mais débordant de dynamisme. Mes amis font l'éloge de mon aspect, j'ai l'air bien, le visage plus plein même, et j'ai bonne mine (mon agenda électronique continue à sonner), je vais tous les enterrer (encore heureux que Luís Antônio me trouve toujours un peu plus amaigri, mais je ne manque pas de lui répondre, On ne parle pas de corde dans la maison d'un pendu). Je trouve ces commentaires futiles, je m'énerve, j'hésite entre ne pas les prendre en compte et répondre. Il ne suffit pas de voir la façade des usines Krupp pour comprendre le capitalisme. Si j'ai l'air d'aller bien, c'est que je ne me fie pas aux apparences ni à mon relatif bien-être, je sais profondément que je suis malade, je sais que je suis profondément malade. Mais je suis reconnaissant, je ne le montre pas mais je le suis, sans les éloges sur mon aspect, je m'effondrerais. Je suis devenu un spectacle y compris pour moi-même. Les éloges, je ne les accepte que de mon médecin quand, souriant devant des résultats d'analyses, il souligne la qualité de mon sang, inattendue chez quelqu'un qui a eu une méningite. Je sais, la situation empirant, il n'hésiterait pas à le dire avec dureté, avec la même franchise avec laquelle il me félicite. Une autre image de moi-même se forme : je n'existe plus, j'ai été substitué. Je me fourre dans la tête que mon système immunitaire est complètement détruit et que je survis seulement grâce à la quantité d'antiviraux que je prends, d'antibiotiques et de vaccins. Je suis devenu artificiel : c'est la base de ma nouvelle vie – je sais que ce n'est qu'une vue de l'esprit, peu importe, du moment que ça m'aide à vivre, que ça me fait vivre. Cette image et ma confiance aveugle dans le médecin sont la base de cette survie. Si le médecin me demandait de faire le poirier sur le rebord de ma fenêtre, je le ferais sans hésiter. Où est-ce que cela va s'arrêter ? je m'inquiète. Je vais voir une psychologue, je lui raconte que je suis totalement dépendant de mon médecin. Elle m'explique que dans ma situation il n'y a pas moyen de ne pas être dépendant de son médecin, mais Tu as conscience de ta dépendance et tu la contrôles. Bien que je me méfie de cette conscience et de ce contrôle, je pensais déjà à ce que la psychologue m'avait affirmé, ce dont j'avais besoin c'était d'entendre ça de l'extérieur, je ressors fortifié, je vais de l'avant.

(...)

De retour à Paris, les examens de pointe sont catastrophiques, ce qui est confirmé par mon médecin. Si je comprends bien : la logique des résultats est qu'au minimum je devrais être dans un lit d'hôpital en phase terminale. Le médecin ne me dément pas. Or je suis là. J'ai déjà pris tous les médicaments isolément et combinés, le médecin voit comme seul espoir un nouveau médicament dont on attend le lancement pour bientôt. On reprend le traitement dentaire. Daniel, Tout ce que te disent les médecins est fondé sur des analyses quantitatives, ils ne font pas entrer d'autres facteurs en compte. La séance chez le dentiste devient un jeu agréable. Je contemple l'oreille gauche de Daniel, paysage entouré par les cheveux et le masque. Nous avons établi un chronogramme chargé. De nouvelles analyses de sang : le désastre s'installe, le médecin ne cache pas son inquiétude croissante, ce dont je lui sais gré, je détesterais qu'il me dissimule la situation. À mots couverts, je parle d'un point de non-retour, interrompre le traitement, débrancher la machine. Je ne m'en fais pas. Mieux vaut accélérer le processus plutôt que de connaître des mois d'inertie au fond d'un lit, le citomégalovirus, la cécité, la diarrhée incontrôlable, les troubles du cerveau, la lenteur agonisante de la fin. Tout réside dans ce point de non-retour, comment le déterminer, la méningite n'aurait-elle pas pu être considérée comme un point de non-retour ? Qu'est-ce que je recherche dans cette ambiguïté ? peut-être la préoccupation que je nie. Je suis en *stand-by*, je ne comprends pas pourquoi je suis vivant, je me sens un super-héros, éviter les illusions, se sentir un super-héros c'est infantile, j'en ai conscience, mais ça aide. Qu'est-ce qui viendra d'abord : la maladie opportuniste ou le nouveau médicament ?

Dès la veille, avec l'impatience d'un adolescent, j'attends le prochain rendez-vous chez le dentiste. J'en ressors toujours léger et joyeux.

Je reçois un télégramme de Jean-François. Simplement : La célébration de la vie par l'acceptation de la mort.

Pour le reste, vous pouvez brûler mon cadavre ou l'enterrer dans un cercueil, comme vous voudrez.

São Paulo-Porto Alegre 1995

**Jean-Claude Bernardet**

Traduit du portugais par
**Henri Raillard**

■ Brésilien d'origine française, vivant à São Paulo où il enseigne, Jean-Claude Bernardet est l'auteur de deux romans non traduits, *Aquele rapaz* et *Os histéricos* publiés aux éditions Companhia Das Letras.

*découvertes*

# ALAIN SEVESTRE

# LE BUREAU
# DES COMPARAISONS

Assis derrière deux bureaux disposés en ligne, de manière à
opposer dès l'abord une façade au visiteur, un rempart stable
qui capte les yeux, une butée franche au regard, deux hommes
parallèles, solidement accoudés à leurs avant-bras, tête dans les
mains, pensent. C'est leur travail. On voit leur front. Les deux
plateaux des bureaux fixés l'un à l'autre par deux vis et deux
gros écrous n'administrent aucun interstice, et jamais crayon
ni feuille ne tombent entre les deux. Solidaires, ils le sont
jusqu'aux tremblements qui agacent quand l'un, le mot au
bout de la langue, proprement dans l'accouchement de l'idée,
jambes croisées, suppose l'autre, bat du pied sous son plateau,
répercutant le ballottement au meuble entier, et dans les
coudes de son voisin qui n'en est pas forcément au même
point. Mais c'est de bonne guerre. Irritent aussi les bruits
d'énervement, pianotement, sifflement, mais l'autre aussitôt se
souvient d'avoir émis ou propagé dans le temps une nuisance
identique ou approchante, et son souvenir empêche toute prise
de bec sur le sujet. Chacun se supporte ainsi dans l'idée d'une
égalité, d'un partage de la gêne, prend sur soi au moment de
récriminer. Et il n'y a jamais de scène.
   Plus haut, le bureau eût fait comptoir. Bien que l'un soit
en chêne et l'autre en médium, cet assemblage symbolise la
parfaite harmonie de l'association. Aucun ne signe sa trouvaille
ni ne revendique la paternité d'une comparaison. Toutes
portent l'estampille de la maison *C'est tout comme*. S'adresser

à l'un ou à l'autre est indifférent. Lorsqu'on entre, on les regarde, il n'y a rien d'autre à voir que l'horizon des plateaux des bureaux derrière quoi ça travaille. Le lieu est clos, sans autre porte que celle d'où l'on vient. Une fenêtre quadrille une part de l'immeuble d'en face, un entrepôt aux vitres sales où se devinent des ballots de choses rouge sang qui attendent, sans jamais personne. J'en parle parce que c'est là, sous leurs yeux, mais ils ne regardent jamais dans cette direction où il ne se passe rien. Ainsi les regards qui arrivent ne fuient pas. Et on se présente sans franfreluches, sans poser de questions stupides, si c'est bien là, s'ils sont eux ou leurs secrétaires ou si l'on se trouve dans la salle d'attente. On entre tout de suite dans le cœur du sujet (ou le vif). On raconte pourquoi on vient et ce qui coule dans l'oreille de l'un coule dans celle de l'autre. Leurs costumes par ailleurs n'appellent aucun commentaire, font costumes. Ils ne sont ni beaux ni laids, vont avoir quarante ans, ou les ont déjà, les font. Ils ne sont pas si vieux que ça. Vraiment, ils ont atteint, avec leur âge, avec la disposition des bureaux, avec leur prestance et leur mode de travail, la perfection d'une productivité, présentent l'accès le plus direct qui soit de la demande à l'offre. On en a pour son argent. Entrer ici c'est entrer dans un lieu.

Une rumeur grignotante enfreint leur patient silence à l'occasion : bruit de crayon qui griffonne le papier à la moindre idée, ou dessine ou gribouille. Ou bien cris, éclats de voix, beuglements quand l'image trouvée les transporte. Quand ils ont trouvé l'image, qu'ils l'ont passée au crible de leurs souvenirs, l'ont testée dans plusieurs phrases, sont satisfaits et que le travail est fini, alors ils foutent le bordel dans le bureau. C'est un petit bordel qui ne dure pas car il y a peu de choses à désordonner. Ils montent sur les chaises, lèvent les bras, accomplissent des arabesques, font Tarzan, postillonnent, grimacent. Les gestes n'acquièrent jamais cependant grande amplitude et le bordel n'est jamais épique parce que la pièce n'est pas si grande.

Ils reçoivent sur rendez-vous, le matin principalement, règlent parfois sur-le-champ les litiges (ça ne va pas du tout, peut prétendre un client, ça ne va pas du tout, le phore ne va pas, il est moins connu que l'idée qu'on veut commercialiser) et se promènent l'après-midi. En début de semaine, le matin, s'il fait beau, il n'est pas rare de voir l'un d'eux trouver, aussitôt expliqué ce qu'on veut, la comparaison qui fait tilt.

Ou bien ils regardent par la fenêtre les voitures, les gens, les heures passées. Une mouche. Après-midi d'ennui adolescent. Quoi qu'ils fassent, c'est un travail. À tous moments, ils peuvent claquer des doigts, des mains, dire eurêka ! (ils ne disent pas eurêka) et trouver l'image ; ils ne sont pas obligés de plancher. Jamais ils n'étendent les jambes sur les bureaux, pieds croisés, renversés sur leur chaise, jamais. Ils n'arpentent pas non plus le bureau. C'est toujours de deux choses l'une : ou bien ils sont assis parallèles et pensent ou bien ils sont à la fenêtre, ensemble ou non.

L'après-midi, ils disent qu'ils prospectent des entreprises. C'est faux. Ils se promènent, font des courses, ne dédaignent pas les soldes. Le soir, ils boivent, c'est un travail. Il semble que la comparaison ait besoin du bistrot. Fréquentant plus que de raison les petits tabacs du coin, ils s'imbibent en rythme, entretiennent un suivi d'une nuit à l'autre dans des bars où on les retrouve, au petit matin, complètement faits, chantant à tue-tête s'ils ont trouvé, ou défaits et mornes si l'image s'est refusée, saouls quoi qu'il arrive. Il est exceptionnel qu'ils ne trouvent pas la comparaison avant de rentrer se coucher. Leurs foies résument leur conscience professionnelle. Ils fonctionnent au rouge.

— Nous sommes une petite entreprise, se confient-ils quand, bourrés comme des coings et friands de se définir, ils sont au bord de s'avouer qu'il vaudrait mieux penser à rentrer. Nous ne cherchons pas plus de profit. Nous voulons seulement nous maintenir ici. Le bureau, c'est notre place. Nous souhaitons seulement pour l'avenir que lorsqu'un travail s'achève, un autre prenne le relais, et que s'enchaînent les contentements d'être ici à faire ce que nous faisons.

– C'est ça.

Et lorsqu'on les voit réfléchir de bon matin, accoudés à leur bureau, tête dans les mains, il y a de fortes chances pour qu'ils cuvent encore l'alcool de la nuit. Les comparaisons du bistrot ne sont pas toutes écartées le matin venu à l'éclaircie des esprits, au bureau proprement dit.

Quoique accoudés, tête dans les mains, grimaçants, repoussant d'une moue l'image convenue ou l'image déjà vendue, ils lèvent la tête à l'entrée des clients. Ils ne cherchent pas à montrer qu'ils réfléchissent.

– Oui, oui, entrez, c'est ouvert.

Ils sont ouverts et, plutôt contents même d'être interrompus dans leur recueillement qui dure parfois depuis plusieurs heures, vont souvent jusqu'à sourire et le client peut se voir gratifier en fin de journée, le vendredi, d'un sourire plus large encore. Épuisement aidant, ils écoutent d'une oreille dilatée les propos du nouveau venu. Ils ont le week-end. Il n'y a jamais vraiment urgence. Et puis quand il s'agit de faire image, le dévouement des petites choses au secours des grandes notions est sans bornes. De toute façon, ils n'ont que ça à faire.

La position des mains sur la tête varie en fonction de la poussée sur l'idée. La main entière peut recouvrir le visage (cf. Holmes, dans *Le Chien des Baskerville,* avant de jouer un coup aux échecs). Deux doigts sous le menton et deux doigts sur la joue est l'attitude favorite d'écoute du client. Un jour, la coïncidence pousse un client à s'exclamer :

– Tiens, on se tient tous les trois pareil.

C'est donc physiquement qu'ils cherchent. Il y a un engagement de tout le corps dans la quête de l'image. Sans engagement du corps, aucune image n'a d'espérance de durer ou de résister. Ils ne s'économisent pas, transpirent. L'inspiration est ici à prendre au pied de la lettre. Ils prennent, reprennent leur souffle, soupirent, respirent profondément. Ils ne fument pas, ont arrêté, je crois je dis bien, je crois.

On vient leur raconter parfois des histoires terribles d'amours désagrégées qui tentent de se ressaisir. Des gens qui n'ont jamais écrit, s'en mordent les doigts, pleurent, ont réglé jusqu'à maintenant leurs différends amoureux par téléphone ou par des scènes où ils se sont enfoncés et pensent qu'une lettre, l'ultime rocher sur quoi s'accrocher, bien tournée, enjolivée d'une comparaison dernier cri, fera revenir l'infidèle, apaisera une colère ou colmatera l'irréparable, s'il te plaît, reviens, ce ne sera pas comme avant. Eux ne fournissent aucun conseil sur la validité ou l'efficacité de leurs comparaisons selon telle ou telle situation. Les gens payent, se démerdent ensuite. Ils ne disent pas vous vous démerdez.

La raison sociale du bureau est inscrite en bas, à l'entrée de l'immeuble sur une plaque de cuivre que, il n'y a pas de gardien, les employés d'une petite société de ménage, pas mal gérée du tout, nettoient au même titre que les autres. Le produit qu'ils emploient bave sur la pierre et le vert-de-gris qui en auréole la plaque témoigne du soin apporté dans la brillance. S$^{té}$ *C'est tout comme,* Bureau des comparaisons, S.A.R.L., sur rdv, tél. : 01 48 78 16 13. Des passants se laissent tenter et ils les reçoivent parfois aussitôt et sans rendez-vous. De sorte qu'on peut très bien passer par hasard, monter au bureau, être reçu aussitôt, exposer son problème et repartir aussi sec, image en poche, ou en tête (elle est parfois si chatoyante que la noter est inutile). Mais la plupart des clients sont envoyés par des grosses entreprises qui sous-traitent, des entreprises qui traquent parfois l'image juste depuis des semaines, ou des écrivains publics en panne, des types qui eux-mêmes flanchent depuis des lustres. Le côté artisanal de la méthode employée ici (on n'utilise pas d'ordinateur), le soin apporté dans le détail, l'absolue garantie qu'on a de repartir avec une image sinon originale disons dépoussiérée, remise au goût du jour, demeure sans conteste l'atout majeur de la maison, en fait sa renommée. La date d'émission de l'image fait foi, comme on dit, et si un client découvre dans un livre ou un journal récent l'image qu'on lui a vendue, il est remboursé et dédommagé au pourcentage du dommage causé. Le plus souvent, il s'agit d'une base de dix pour cent en sus du versement initial. On ne donne pas suite aux réclamations pour image figée, métaphore lexicalisée. Fallait vérifier son image sur le moment (cf., entre autres, la liste des comparaisons figées à l'article « vif » du *Dictionnaire des locutions françaises,* Maurice Rat, Larousse, Paris, 1957, p. 427).

On vient ici lorsqu'on cherche une comparaison. Mais on peut très bien faire étendre les recherches à la métaphore ou à tout autre figure de style, à l'exception des catachrèses. La catachrèse ne passe pas. Ils ne la considèrent pas comme un trope. Ils ont leur tête. En revanche, ils pratiquent des ristournes, font des prix sur l'hypallage. Il leur arrive de préparer, selon l'époque, des images qu'ils écouleront facilement, soupçonnant une mode ou un esprit. Ainsi, un temps, ont-ils senti la vogue des comparaisons animales. Des associations écologiques étaient en lutte un peu partout contre des lobbies industriels ; eux, du phasme à la baleine, avaient joué à fond cette carte, écoulant des images aussi simples que celle du *tigre dans un moteur* ®*,* l'homme est un loup pour l'homme... Le printemps, quoi qu'on dise, n'est pas la saison qui marche le mieux. Avant les départs en grandes vacances, ils voient régulièrement leur bénéfice grimper car chacun, avant de partir, souhaite maintenant se munir de quelques expressions sorties des sentiers battus de la littérature de carte postale. Depuis deux ans, ils travaillent pour une petite entreprise de T-shirts (5 millions de chiffre d'affaires, 3 personnes) spécialisée dans les astuces thermocollées, du style « Je me sens comme... » et dont ils doivent trouver comme quoi. C'est bien payé. Ils croisent les doigts.

Les tarifs diffèrent selon les difficultés, les figures, et le nombre élevé d'éléments entrant dans la cohésion du comparé et du comparant. L'heure n'est pas rémunérée comme telle ; on règle un forfait. C'est parfois même à la tête du client. Et si un client repart content avec je t'aime dur comme fer ou ma biche, peu leur chaut. Seule importe ici la satisfaction du client. Il y en a pour tous les goûts. Mais jamais ils ne font lire le livre. Sorte de catalogue qui stocke leurs trouvailles, ils y puisent une dizaine d'images, pas plus, avant le rendez-vous, qu'ils soumettent au client.

Le lieu, le déroulement des visites, la réception des clients, la facturation des services, tout fait penser à un bureau du contentieux. Mais la comparaison s'arrête là.

Des images sont laissées en souffrance parfois sur des mois et il arrive qu'un des deux employés (ils sont leur propre patron) miaule ou rugisse. Ils foutent le bordel, appellent le client. Un coursier vient. Le client n'est pas toujours content de la trouvaille ou ne comprend pas qu'on l'ait fait attendre pour ça ; raison pour laquelle on paye d'avance, et en liquide. Avec leur petite notoriété, ils apprennent peu à peu à ne plus se remettre en question pour un oui ou pour un non. Ils n'ont plus honte. La maison ne s'effondre plus si un client critique. Ils écoutent ce qu'on reproche à l'image, mais ne changent pas forcément d'avis. Toujours la ritournelle du ça ne va pas, ça ne va pas du tout, le phore ne va pas, il est moins connu que l'idée qu'on veut commercialiser. Ou pire le client qui se croit volé sur la marchandise, ne voit pas l'image. Eux restent ouverts, ne se braquent pas. Conciliants, de crainte de perdre un budget, ils peuvent fournir une image cousine qui aura un effet parent, reformulent le tout, ôtent le phore. Oh ! ils le savent, souvent, à vouloir réveiller des images coûte que coûte, l'objet dont est tirée la comparaison est moins connu que celui qu'on cherche à vendre, ou bien s'égare totalement. Pfiup ! plus d'objet, plus de produit. Rien. Ça parle de nuages ou d'un veau. Le client fulmine. C'est le principal problème, le principal reproche, les images ne volent jamais bien haut ou bien échappent à toute compréhension. Mais comment, dans l'étroitesse des lieux où ils pensent, trouver le souffle, l'ampleur de l'hyperbole et s'approcher de l'adynaton ?

On travaille ici à l'ancienne manière. Une machine à écrire, par terre, concède à la modernité, une modernité dépassée. Cinq grandes rangées de livres, derrière leur tête, étoffent le mur d'un savoir potentiel, d'un corpus tape-à-l'œil car il est visible qu'ils n'y touchent pas. Ce sont des livres récents, en format de poche, achetés en lot, classés par numéro, que la poussière a soudés ensemble. Le mur est mitoyen avec celui d'une salle de cinéma et les livres assourdissent, insonorisent les bandes-son qui, longtemps, leur ont tapé sur le système.

Ils travaillent en sous-main pour un parolier, une agence de communication, un cabinet conseil consulté par les partis politiques au moment des campagnes électorales mais aussi, à l'occasion, pour bâtir une nouvelle image à un premier secrétaire, revitaliser son crédit, créer un slogan (« Le droit chemin », c'est eux). Leur plus gros budget vient d'un groupe pharmaceutique auquel ils consacrent une matinée entière par semaine. Tout ce qui touche à l'écriture dans le groupe, hormis la littérature des médicaments, passe par leur bureau. Ils favorisent l'expressivité des discours de réception, ornent les fascicules d'entreprise qu'assomment chiffres, bilans, diagrammes en camembert, illustrent les bulletins de liaisons managériales, pimentent les comptes rendus de stage. Sinon, c'est du coup par coup, réécriture des mémoires d'un comédien, finition d'une quatrième de couverture, d'une préface, d'une charte de principes, textes auxquels ils apportent la vie, une touche, du liant.

Leur situation est enviable. D'ailleurs ils ne se plaignent pas. Ils évitent les comparaisons mais sentent qu'ils n'ont pas à se plaindre : penser toute la journée !

Ce sont des types qui doivent sans cesse s'actualiser.

**Alain Sevestre**

■ **ALAIN SEVESTRE** vient de publier *L'Affectation* aux éditions Gallimard.

# JOHAN-FRÉDÉRIK HEL-GUEDJ

# CARNET DE VOL

Cette nuit, un enfant de la maison a pleuré. Il s'est rendormi blotti dans le grand lit entre père et mère. Femme et enfant dorment à présent. Le père s'est levé, le petit jour lui a ouvert les yeux avant l'heure. C'est un appartement de banlieue, de banlieue nord. L'air tiédit les murs, l'aube modèle les murs, reforme les choses, la lumière sépare les couleurs. Le père se penche sur les deux têtes, la petite lovée contre l'autre, leurs souffles mêlés. Il sent asséchée la peau de son propre cou, où son fils a versé les larmes du cauchemar.

Sans bruit il enfile ses vêtements sur sa peau brunie, quitte la chambre souliers dans une main, veste d'uniforme dans l'autre. Il pose ses souliers sur le buffet, la pointe d'abord, le talon ensuite, ouvre un tiroir, en sort un petit carnet toilé gris qu'il feuillette. La dernière page porte le tampon du 9 mai. Nous sommes le 15. Il referme le carnet – trois mots gravés en couverture : *Carnet de vol* –, l'empoche, repousse le tiroir qui refuse de se refermer tout à fait, une fois, deux fois, sans succès ; il grimace, sourit, abandonne : le bois travaille. Il le savonnera à l'heure du déjeuner. Il passe dans la cuisine, s'humecte le visage au robinet de l'évier. Il rédige un mot : « De retour vers midi et demi. Baisers imparfaits. S. », et le place en évidence au centre de la gazinière, en équilibre sur un feu. Il reprend ses souliers, pincés entre le pouce et l'index, retourne embrasser femme avec enfant dans le grand lit, dans la chambre, dans l'ombre claire. Il effleure le creux de l'épaule de son fils et fait glisser le drap jusqu'au milieu du dos de sa femme, pour un baiser au profond de ses reins creusés par le sommeil. Sur le palier, il enfile ses chaussures, retient son souffle quelques secondes. Ici commencent les heures célibataires de Stan Lieber.

Il est cinq heures dans la cité, les tours sont éteintes, vides les allées. Un chat, la queue tronquée, a trouvé refuge contre le pneu de la voiture de Stan. Ployant l'échine pour se dérober à la main qui descend sur sa croupe, le chat se carapate, se cambre immobile, et file sous un taillis poussiéreux. Accroupi contre l'arbuste, Stan imite le miaulement rauque du félin tapi les yeux fixes. Stan s'installe au volant, sa voiture a deux jours et l'odeur du skaï neuf annonce celle du pain chaud (à la boulangerie, les premiers croissants sont pour lui). Il en paie trois : le premier pour tout de suite ; le second avec un double noir dans dix minutes à la base ; le troisième pour là-haut, tout à l'heure. C'est son petit luxe, à côté des penchants adultes. Trois croissants dans la même matinée rattrapent les années d'enfance, quand son père leur donnait, à ses frères, ses sœurs et lui, de la mie de pain trempée dans un bouillon, des patates à l'eau et de la rhubarbe sans sucre pour le dessert le dimanche après le temple. L'écœurement léger de la saveur beurrée gomme le parfum frais de l'air alentour. Serrant sa monnaie au creux de sa paume, il retrousse le papier d'emballage sur la pointe du croissant et refait ses années de retard à petites bouchées.

Tout à l'heure, le vol au-dessus de la campagne tendra dans le ciel des lignes invisibles souples et solides comme les fils de l'araignée à l'angle du toit. À cet instant, il lui manque quelque chose, non pour lui-même, mais pour son fils, un oubli qu'il doit réparer. Il soupèse sa boîte de cigares en métal, c'est son geste. Il rentre dans la boulangerie, sa main se pose sur l'objet : un bolide plastique aux couleurs criardes, un kart chargé de bonbons enveloppés dans un sachet de papier cristal à la place du pilote. À cette minute, Stan peut être le père qu'il n'a pas eu. Parole que son fils ferait sienne, fidélité mêlée d'injustice : s'il l'a trop peu connu, le fils de Stan aura eu un père. Avec le présent de ce père, il jouera infiniment, l'abîmant à force de le vouloir sans relâche contre lui, partout dans ses chambres successives, au gré des amours de sa mère.

Bientôt, d'autres fétiches seraient promus à cette place laissée vacante. Des jouets épiques autour desquels on pourrait risquer des aventures. Il y aurait aussi des jouets tragiques, telle cette pièce d'alliage tordue, ce bout de moteur calciné rangé dans un tiroir qui de tout temps avait mal fermé, ce morceau de moteur, épousant la forme exacte d'un trou dans le cœur du petit Lieber. De nos jours encore, le petit Lieber ne s'approche pas sans mal de ce tiroir.

Stan n'entend pas la boulangère le héler pour lui rendre son reste de monnaie, le moteur tourne, il est déjà loin, elle la lui mettra de côté jusqu'à midi, jusqu'à ce soir ou demain matin. Elle ne prend pas la peine d'inscrire sur son petit cahier et lance les pièces de ferraille à même son tiroir-caisse, à la volée. Sous la violence du geste, quelques pièces rejaillissent du tiroir. Interloqué, un client sursaute et se baisse, mû par un réflexe, comme pour ramasser.

Stan pénètre sur la base, se range au pied de la tour de contrôle. Dans la salle des opérations, l'officier de jour lui conseille de retenter sa chance en fin de matinée : aucun appareil n'est disponible. Stan a le choix d'aller tuer deux heures au bureau, repasser quelques dossiers, relire un opuscule ou deux, potasser des scripts ; à moins d'attendre jusqu'à huit heures qu'un appareil se libère. Il hésitait encore en regagnant sa voiture sous le sifflement admiratif de l'officier. Stan tambourine des deux mains sur l'arrondi du capot, et l'autre se règle sur lui en sifflotant une mesure en cadence. Stan reprend le volant, le kart et les deux croissants à côté de lui, à la place du mort, celle qui ne s'échange pas. Il s'est décidé, il reste.

Au mess des officiers, personne. Le tenancier garnit son réfrigérateur. Au bout du comptoir gargouille l'orgueil du mess, la cafetière américaine, socle chromé, deux ballons gigognes de verre ventru, attachés par un collier nickelé avec une rangée de chiffres et trois mots magiques gravés sur une plaque de cuivre rivetée, *Made in USA.*

Enfant, il avait voulu voler. Il se voyait virtuose, l'armée avait fait de lui un héros, un héros qu'il ne connaissait pas. Accompli et fatigué par les années militaires, il avait achevé son rêve. Le maniement de ces merveilles prosaïques ne l'excitait plus. Il échoua en vol au concours final, en loupant une figure facile. Depuis lors, les minutes d'ivresse aérienne lui sont comptées. L'armée lui confie des missions de réserve. Chaque fois, il doit attendre un appareil que l'on n'est guère pressé de lui confier, à lui, l'ex-pilote de chasse décoré ; aussi se résout-il à des crochets incessants par le terrain. En fils de pasteur, il pourrait tirer matière à leçon de cette joute quotidienne entre la vie sempiternelle et la montée au ciel. C'est aussi là une manière de rapporter des blocs de temps déjà vieillis, de les accrocher ensemble, tant bien que mal ; cela, il ne se le cache pas.

Il se couche tôt afin d'être dispos aux aurores, et ses nuits sont chastes. Sa femme sait qu'elle n'entamera pas cette résolution. Depuis quelque temps, son fils applique son oreille contre la tête de son père, tempe contre tempe, comme pour écouter à l'intérieur. Voici une semaine pile, Stan a contracté une assurance vie. La compagnie s'est d'abord fait prier, le dossier a traîné, mais il a eu gain de cause. Jamais l'idée ne l'avait effleuré aux temps où il se risquait dans le ciel glacé du nord canadien ou dans les cieux secs de l'Atlas, mais depuis qu'il évolue sous les nuages lourds de Villacoublay, à portée de la vie dans toute son épaisseur, la vie a changé, et donc la mort. Ce n'est pas qu'il ait rencontré la peur, du moins cette peur-ci occupe-t-elle une place négligeable dans la somme des peurs qui le visitent journellement. Sa passion ne le rend pas timoré. La vie banale lui est cause de plus de tremblements. Auparavant, des ailes battaient à la droite, à la gauche de son cœur. Ce n'est plus vrai, et ces ailes grandies hors de sa poitrine d'enfant se sont muées dans son torse adulte en mécanisme faillible. Et même, l'acharnement qu'il a mis à faire pousser ces ailes de naguère lui transmet un vertige rétrospectif.

Il est au mess, sa tasse chaude et pleine, son voisin plongé dans une lecture, retranché derrière ses clips de soleil fixés sur la monture de ses lunettes, à l'image de ces êtres faciles que Stan a croisés sur les ponts-promenades de la Cunard entre Plymouth et New York. Le lecteur se sent regardé, lève le nez dans la direction opposée à celle de Stan, assis dans l'axe naturel de son regard. Il a choisi ce mouvement de stratagème pour donner au regard qu'il va poser sur Stan l'allure cruelle du hasard.

– Dites-moi, sergent, vous êtes nouveau ici ?

Le jeune sergent à lunettes reste impassible, et Stan répète la question en tapotant le bout amolli de son croissant contre le rebord de sa tasse.

– C'est-à-dire que je termine mon service sur cette base.

– Cela n'a pas l'air de vous réjouir, fit Stan.

– Je vole parce qu'on m'en donne l'ordre.

– Peur ?

– On maîtrise. Vous, c'est votre job.

– C'était. J'ai été lieutenant. Ça ne se voit plus. Stan balaie d'invisibles miettes à la place de ses épaulettes. Je vends des films.

– Moi, instit. Lenoir.

– Stan Lieber. Ma femme a été institutrice au Sahara.

– Et maintenant ?

– Elle s'occupe de nos enfants.

– Et moi de ceux des autres.

Stan a mentionné sa femme pour contrer la pente énervante de cette conversation. Remontant le cours des paroles échangées, il en revient à la peur.

– Cent vingt mille francs.

– Je vous demande pardon ?

– Cent vingt mille, répète-t-il sur un ton d'évidence.

– Pour quoi faire ?

– Franchement, une compagnie qui mise cette somme sur la tête d'un funambule dans mon genre, vous ne trouvez pas ça risible, vous ?

Le barman brique son comptoir. Le parfum d'ammoniaque atteint leurs narines.

– Je n'en sais rien.

– On miserait une somme pareille sur un instit ?

– Possible. Je n'en sais rien.

– Pour un instit, vous ne savez pas grand-chose.

Stan a pris l'habitude de se guetter, parfois en vain, perdant ainsi souvent la chance de se surprendre. C'est pourquoi il a besoin de frapper sur le cœur d'un autre pour éprouver les battements du sien. Il est convenu de le juger brutal. L'instituteur Lenoir essuie cette attaque sans la comprendre. L'auteur de l'attaque ne boit jamais une goutte d'alcool, mais il se rapproche du faciès du sergent en dodelinant de la tête à la façon de l'homme saoul.

– Où est-ce que vous enseignez ?

– À Charleville, Nord.

– Vous devriez essayer le désert, c'est au sud.

– Peut-être.

– Vous devriez.

Au fond, se dit Stan, c'est enfantin de coincer un type sans surface : il suffit de lui entrouvrir les grands espaces. L'instituteur Lenoir observe un calme étrange, recueilli, tandis que Stan répète les coups d'œil à sa montre.

– Mon lieutenant, je vais me consacrer... Je vous serre la main et je pense au Sahara.

Le sergent fait le geste d'écrire sur sa paume, et le barman inscrit la note sur un carnet suspendu par un cordonnet. Stan Lieber se lève à demi de son siège pour saluer l'instituteur Lenoir qui s'éloigne en claudiquant légèrement. « Je vais me consacrer... », c'était la phrase suspendue de l'instituteur, et Lieber y a retrouvé l'écho de cette pondération de fer, apanage du pasteur Lieber son père, qu'il décèle à tout coup chez les rares individus auxquels il se sait vulnérable. Le pasteur son père lui a toujours interdit de voler, mais il est passé outre. Au temps de son service actif dans l'aviation militaire, la montée au ciel quotidienne du fils Lieber concurrençait déloyalement le ministère dominical du père. Le goût du croissant au beurre lui revient en une légère nausée. À deux ou trois reprises, il tourne et retourne machinalement les magazines étalés sur la table basse, telles les cartes au jeu de bonneteau. À la une, partout, l'astronaute John Glenn engoncé dans sa capsule. Stan rattrape au vol soucoupe et cuiller qui menaçaient de tinter sur le plancher. Il se montre plus habile avec les objets qu'avec les personnes, on lui en fait parfois le reproche. Il va déposer quelques pièces de monnaie sur le comptoir de formica encore humide d'une odeur forte, se penche pour saluer d'une tape sur l'épaule le barman qui frotte son carrelage agenouillé à côté d'un seau d'eau lessiveuse. Au-dessus de la porte du mess, les écussons, les fanions, les cocardes sont punaisés en rosace, célébration scolaire qui agace Stan et ternit le souvenir du désert, terre des plus grandes distances, terre de repères savants et cachés, réponse terrestre à l'infinie hauteur du ciel. Le téléphone sonne, le barman ramasse la serpillière en boule dans une main, essuie son autre main contre son tablier et décroche.

– Le bureau des opérations, mon lieutenant. Vous avez un appareil, mais pas de navigateur.

Au vestiaire des pilotes, il enfile sa combinaison, fourre cartes et instruments de navigation dans les poches à mi-cuisse. Le fond de l'une d'elles est plein de miettes ; voilà qui lui donne envie du deuxième croissant sur-le-champ ; il le prendra au passage dans la voiture, et retourne la poche pour vider les miettes. L'un des deux hommes au pied de l'avion tient un casque sous le bras, son navigateur sans doute, une silhouette peu familière. L'autre, le mécanicien, lui fait un signe de la main. Stan répond de la même façon, et l'inconnu se retourne subitement. Stan reconnaît l'instituteur, et lui adresse, déplaisante sensation, ce salut involontaire qui ne lui était pas destiné. Le mécanicien se méprend.

– Vous connaissez le sergent Lenoir, mon lieutenant ? Stan ne dit mot. Stan et Lenoir aplatissent leurs cartes sur le bord de fuite de l'aile, pour quelques dernières instructions de navigation. L'absence d'hésitation de Lenoir surprend Stan.

– Vous n'aimez pas ça, mais vous vous débrouillez.

– Mon lieutenant, j'essaie de bien faire aussi ce qui me déplaît.

À cette réponse en forme de précepte, Stan se rembrunit. Le pasteur Lieber aurait pu la faire sienne. À l'entrée de la piste, il tâte sa poche : mince, il a oublié de reprendre le croissant dans la voiture. Lenoir s'enquiert : a-t-il oublié quelque chose.

– Ma tête !

Stan met pleins gaz, desserre les freins et l'avion s'élance pesamment. Il ne retrouve pas le cognement au cœur du chasseur à réaction au décollage : la prise de vitesse est lente, et il a négligemment enfilé son casque sans l'agrafer. Pour quinze minutes de vol.

Les maisons s'amenuisent, les champs s'ouvrent, la terre s'élargit, se quadrille, se multiplie. Stan incline l'avion sur une aile et vire au sud. Loin devant, au-delà de l'horizon, par-delà la mer, le désert, hors de vue, hors d'atteinte. Stan remet cap à l'est, laissant la tentation du désert. L'avion s'exécute souplement, Stan est joyeux.

Une touffe jaune pointe par une ouïe de métal. Une fumée grasse bouillonne et s'échappe de l'orifice. Le moteur perd son régime, charriant ce limon noir. Stan actionne l'extincteur, le feu diminue avant de reprendre, le moteur manque caler, s'emballe, mais il parvient à le maîtriser. Hélice au ralenti, il pique vers le sol pour gagner un peu de vitesse. L'appareil met un temps infini à effacer un village sous ses ailes avant de retrouver les champs, trop bas maintenant pour qu'il soit possible de sauter. Le sol de plus en plus proche file de plus en plus vite, en dépit de la lenteur. Tous volets sortis, l'avion se gouverne mal, les pistons sifflent un air malade. Le manche coincé entre les genoux, Stan se retourne à demi vers le sergent, pointant le pouce vers le sol. Il ajuste ses lunettes, largue la verrière, le vent lui fouette le visage, il se penche au-dehors, toussant dans le nuage d'huile. Lenoir détache son harnais, prend appui en préparant ses deux mains de chaque côté du cockpit. Stan descend, encore, plus bas, l'ombre grandit sous lui. Il entrevoit celle, furtive, de l'autre homme qui roule à terre comme un sac. Il remet les gaz pour franchir une haie, le moteur hennit un mugissement de sirène. L'appareil frôle les blés lumineux. Stan rend une dernière fois le manche, ses deux pieds appuient à toute force contre le plancher de métal surchauffé, les jambes arc-boutées pour faire plier cette masse et la plaquer en douceur contre terre. La machine s'enfonce, le ventre touche, rebondit, frappe comme un marteau. Bras tendus, les mains accrochées aux montants du pare-brise, Stan tend à bloc ses bras brûlés et noircis. La machine dérive dans un arrachement de fer, creuse un sillon, sursaute, Stan donne de la tête contre l'arceau de sécurité, à toute violence.

De la haie qui ferme le champ, une corneille s'envole en hurlant.

Hélène casse trois œufs dans la poêle et sépare les jaunes. L'huile chaude mouchette le petit mot de Stan désormais posé sur la tablette à côté de la gazinière. Il est midi passé, la radio annonce que John Glenn continue de tourner autour du globe et diffuse un bref dialogue de l'astronaute avec la Terre. Elle ne comprend pas tout, et la communication est brouillée de crachotements mêlés au crépitement de la poêle. Le fils d'Hélène pleure sans motif, et sa fille se tient droite, fourchette dressée à la verticale. Cette nuit, le mauvais rêve de son frère ne l'a pas réveillée. La radio, les œufs, les pleurs, le baiser de

Stan ce matin dans un demi-sommeil, ces petits riens proches les uns des autres gravitent légèrement, et il s'en faut de peu qu'ils ne se fondent en une seule enveloppe. Tout cela, c'est l'univers, clair et limité. Il est l'heure maintenant, Stan devrait arriver. Les œufs sont cuits, elle éteint le gaz, elle entend une voiture, le crissement du gravier. L'ancienne voiture se reconnaissait au moteur, pour la nouvelle, Hélène n'est pas encore sûre. Oui, c'est la voiture blanche de Stan, « voile noire, voile blanche, il y a une histoire, une femme attend un homme », ce n'est pas lui qui conduit, et il n'est pas non plus dans l'autre, qui la suit, bleu nuit la cocarde sur le pare-brise. Qui amène-t-il à déjeuner ? Ils sont nombreux, elle ne croyait plus qu'ils viendraient la chercher, personne ne descend, qu'attendent-ils, il aurait pu la prévenir, lui faire une telle frayeur, ils sont venus l'emmener à l'hôpital, il s'est toujours fait des bleus, l'un de ces messieurs en uniforme est descendu, son visage ne lui dit rien, et parle maintenant au conducteur par la vitre baissée, les enfants réclament, elle fait glisser un œuf dans chaque assiette, garde le troisième au chaud dans la poêle, pour Stan. Le temps de revenir jeter un œil à la fenêtre, les deux voitures sont vides, la sonnette à la porte, ils sont montés si vite, elle n'a entendu ni les voix, ni les pas, elle ouvre, ce sont trois hommes, trois seulement, en uniforme, elle en connaît un, qui se tait, un autre retire sa casquette, ses cheveux sont gris, coiffés ras, il parle sans passer le seuil. Il sourit, d'un sourire faible, et dit une phrase droite comme une ligne imprimée noir sur blanc. Hélène se souvient avoir décroché le téléphone pour répéter à quelqu'un, oui, mais à qui ?, la phrase de l'officier. Ils partent et les enfants aussi sans terminer leur assiette. Tous trois montent à bord de la voiture blanche. Un militaire attendait à la place du conducteur. Mains sur le volant, il ne bronche pas. À la place du mort, Hélène trouve contre le pare-brise un croissant enveloppé. Elle le regarde fixement, sans vouloir, sans oser le prendre. À l'arrière, son fils s'empare du kart chargé de bonbons enveloppés dans du papier cristal sur le siège du pilote. Sa fille demande le croissant, c'est son dessert, dit-elle. Les enfants demandent, Hélène ne sait pas où l'on va, puis c'est la route et ils croquent en silence bonbons et croissant.

Cette journée d'Hélène va faire reculer l'univers d'un cran.

Le convoi s'arrête sous la façade blanchâtre d'un pavillon mitoyen. Sur le pas de la porte, le père et la mère d'Hélène sont de pierre. Hélène se dit : « La vie est courte et lente ! » Les officiers s'éloignent dans la voiture bleu nuit et laissent la voiture blanche. Les enfants se sont envolés dans les étages.

– Moins de bruit, les petits !
– Maman, tu as mal à la tête ?
– Non, non, je n'ai pas mal à la tête. Mais il faut être gentils.
– Nous, on est gentils.
– Oui, vous êtes gentils, très gentils.
– Si tu avais mal à la tête, maman, tu verrais comme on serait gentils.

Le soir, dans sa chambre, Hélène se tient debout dans l'encadrement de la fenêtre, légèrement en retrait, retenant du bout des doigts le voilage entrouvert. Elle a simplement un peu de mal à respirer, en ne retrouvant pas la rue des soirs où elle était la fille de ses parents. Rien n'a changé, et tout a changé. Sous la lumière rare, sans soleil, les rares passants semblent tous vêtus de noir.

Dans la lumière de mai, l'espace est ouvert à perte de vue sur une plaine nue. Hélène longe de vastes hangars au toit arrondi, qui renvoient l'écho de ses pas. Elle marche, poussée en avant par la cadence des pas qui s'additionnent. Un officier vient au-devant d'elle, elle obéit à cette main discrète au travers de l'étoffe. De ses lèvres muettes, sans oser croiser son regard, il lui indique une place. Ses talons cessent de claquer, des semelles raclent le béton, une foule modeste se rassemble. Un avion est stationné, la lumière oblique le glace de reflets huileux et de pointes étoilées piquées sur l'acier. Ses pièces bosselées de chimère mécanique sont autant de défauts dans sa cuirasse. Face à l'hélice, la famille fait une ligne clairsemée. À hauteur de chaque aile, des militaires au garde-à-vous. Au milieu de l'aile, un uniforme soigneusement plié, surmonté du képi, la visière luisante. Deux officiers s'avancent à pas lents, l'un d'eux porte un coussin de velours. Sur le coussin, un écrin bombé. Le second, celui qui l'autre jour avait un faible sourire, dit quelques mots. Un silence, puis il se tourne vers l'officier portant coussin, ouvre l'écrin, déplie un ruban où pend une médaille, avance de trois pas, se penche sur l'uniforme et pique l'étoffe. Absente, Hélène regarde la piqûre. Le clairon sonne, la note coupante et sinueuse l'a cueillie. Elle pense : ils ne décorent ici qu'un vêtement plat sur une aile de fer. Je peux ne pas y croire. Oui, mais tous ces visages sont graves, ils portent le poids de la vraie vie qui s'arrête, je ne peux pas ne pas y croire. Alors ? Alors Stan n'est pas parti, et il n'est pas là non plus, c'est tout. Voilà les mots qui s'accomplissent dans le cœur d'Hélène. Plus tard, le chagrin fera son office, serrera son garrot. Pour l'heure, un mensonge naissant la protège, croît et boursoufle de refus et d'ignorance douceâtre les faits marbrés. Elle effacera d'elle-même cette journée, ce ne seront plus que présences repoussées. L'accident est survenu dans le lointain. Hélène est si petite que ce lointain lui échappe. Elle est heureuse d'être si petite. Les voici qui se dispersent, il y a des murmures, des serrements de cœur et de mains, un petit lot de détails solennels. Son fils veut toucher la chimère. Hélène le prend par la main, le hisse sur l'aile : le dôme de plexiglas est ouvert, il contemple le poste de pilotage. Il se renverse, le dur rebord d'acier riveté lui entre dans la hanche, sa mère le retient, il résiste, pousse sur ses petites jambes, elle le retient de ses deux mains de mère croisées contre son ventre rond, il regarde avidement cadrans, aiguilles, manettes, cadrans, aiguilles, manettes que ces mains croisées l'empêchent d'atteindre.

Stan Lieber fut inhumé à Plaisir, Seine-et-Oise. La mort aussi a de l'esprit. Le pasteur Lieber dit un psaume, ses yeux assombris par le verre épais de ses lunettes. Les enfants n'ont pas été invités. Lors de la cérémonie sur la base aérienne, le fils avait demandé : « On n'attend pas notre papa pour commencer ? » À deux pas de cette boîte clouée au bord d'un trou, cette phrase de son fils aidait Hélène à poursuivre son rêve. Le cercueil était parallèle au trou, et son rêve était parallèle au cercueil, à côté, ou peut-être au-dessus, l'invisible occupant de la boîte s'offrant comme première pierre à l'édifice de ce rêve.

De part et d'autre du trou, les militaires visèrent le ciel et tirèrent une salve.

Après une semaine de vie hésitante, Hélène retourne chez elle, chez eux. Elle s'arrête en chemin pour acheter du pain à la boulangerie. La boulangère n'a pas oublié, elle lui rend la monnaie oubliée par Stan, quatre pièces jaunes au pourtour noirci. Hélène entre dans l'appartement. Rien n'a bougé. C'est la fin du jour, transpercée de cris d'oiseaux. Le lit est resté défait, depuis tout ce temps. Dans la cuisine, un œuf au milieu de la poêle, il est froid et le jaune ridé s'est racorni. À côté de la poêle, le petit mot de Stan a bu les taches de graisse. Elle jette la poêle et l'œuf dans la poubelle, et glisse le mot entre deux feuilles de buvard. Elle pleure et sa gorge se tord. Elle retire son manteau, décachette une lettre de la compagnie d'assurances, c'est le contrat de Stan. Elle le relit à trois reprises, bute chaque fois sur la même formule, « en cas de décès accidentel », le range dans le tiroir du buffet resté entrouvert, le repousse, une fois, deux fois, se décourage. Le bois travaille. Quelque chose tinte dans sa poche. Ce sont les quatre pièces jaunes. Elle les pose sur la table, les reprend, va chercher une tirelire en fer et les glisse dans la fente, soigneusement, une à une.

Elle ne peut pas ne pas voir le vide dans le regard de son fils, c'est la réplique du vide au-dessus duquel elle se tient en équilibre. Le petit Lieber s'endort mal, se réveille la nuit, et questionne, sans relâche. Un psychiatre conseille de tout lui dire, ce qu'elle fit. Elle s'était crue incapable de prononcer ces phrases-là. Son fils l'écoute calmement, veut simplement savoir si son père a été fautif. Puis il cesse de questionner, et s'endort sans se réveiller la nuit. Hélène se croit quitte, mais s'effraie du silence de son fils et regrette même ses questions. C'est alors que les questions reviennent et cela nourrit un rituel, chaque soir à l'heure du coucher. Ce rituel entre peu à peu dans l'étoffe de son rêve, cette œuvre réparatrice qu'elle tisse à son insu.

À l'instant du dernier baiser, son fils la retient par la taille, respire sous le poids de sa mère contre sa poitrine.

Le fils d'Hélène et Stan n'a pas encore tiré de la mort de son père la matière d'un drame, mais il a compris les menus avantages qu'elle lui permet de monnayer, une panoplie complète, permissions, attentions, caprices, passe-droits, colères, chantages et, enfin, les larmes. On cède, faute de savoir, car on a peur de déchirer d'invisibles enveloppes. On reçoit chacune de ses demandes comme un reproche. Le fils de Stan sent confusément que l'on veut le délester d'un fardeau, et, en échange, les objets de plastique aux couleurs électriques s'accumulent dans sa chambre.

Un soir, c'était prévu, son oncle vient le prendre et l'emmène coucher ailleurs. Durant le trajet, le fils de Stan et son oncle ont un dialogue.

– Tu es un petit homme, maintenant.

– Qu'est-ce que c'est, un petit homme ?

– C'est un homme, en plus petit. Un homme qui sera bientôt un homme.

– Je serai bientôt un homme. Un homme comme tout le monde ?

– J'espère bien ! On va commencer demain, avec la nouvelle journée.

– Alors pourquoi tu es venu me chercher ce soir, si c'est pour commencer demain ?

Dans le vaste appartement de son oncle, un coffre posé sur des pattes de chimère garde l'entrée de la réception. Le couvercle bardé d'arceaux de cuivre est fermé par une lourde tige ouvragée enfilée dans deux anneaux, et la serrure est gravée d'un lion de cuivre et d'argent qui tient la clef dans sa gueule. Jamais ouvert, ce coffre sert parfois de banquette aux invités. Le fils de Stan tourne autour ; souvent, il s'assied à côté des pattes ouvragées aux griffes de bronze, et s'adresse à l'animal.

– Mon oncle m'a dit que tu étais très gentil quand tu dors, et très méchant si on te réveille quand tu n'en as pas envie. Sois tranquille, moi, je ne te réveillerai jamais, sauf si tu me le demandes. Tu veux savoir comment je m'appelle ? Je m'appelle Stan, et toi ? Stan, c'est le nom de mon papa, et j'ai le même, comme ça, c'est plus facile. Tu es d'accord ? Tu sais, je voulais te dire, tu ressembles à une autre bête que j'ai vue, une bête que mon papa connaissait bien. Je sais qu'il la connaissait bien, parce qu'il volait sur son dos et qu'elle voulait bien. Elle était plus grosse que toi. Toi, tu n'as pas d'ailes, mais tu es plus gentille.

Il lui rapportait aussi ses bonnes actions, lui taisant les mauvaises, espérant que la bête n'en saurait rien, ce qu'il ne découvrit pas, car la bête ne lui répondit jamais.

Le retour de sa mère le perturba. On vint le déranger dans sa chambre. Il dut quitter la maison de son oncle, où vivait une chimère avec laquelle il s'entendait. Il y avait ici des meubles lourds auxquels il pouvait s'appuyer. Comment parlait-on à sa mère, sans père ?

Encore de nos jours, Hélène se dit que si Stan revenait maintenant, elle lui demanderait simplement où il avait passé tout ce temps. Elle dit aussi que si elle recroisait cet homme dans la rue, elle retomberait amoureuse de lui. Elle a entendu dire que des femmes désireuses d'être inséminées par leur mari disparu se heurtaient à la loi. Pourquoi la loi s'y oppose-t-elle ? Que fait cette femme, Hélène, qui aime avec tant de mémoire ? Elle rêve. La nuit, elle rêve toujours le même rêve : il lit son journal assis à côté d'elle dans le lit, calme, comme si de rien n'était. Elle le questionne, mais lui, imperturbable, tourne les pages de son journal et lui caresse distraitement le front. Elle ne sait plus qui joue le rôle de la sentinelle : est-ce elle qui veille sur son rêve, ou bien est-ce lui qui monte la garde auprès d'elle ?

Son fils se mit à écrire, tournant les faits en passés recomposés et futurs antérieurs. Il se livra à un remembrement de son père qui fit long feu. Et, au fond, rien de très exact dans tout cela : il ne lui vint jamais à l'esprit que ce père n'avait pas été courageux pour deux. Il vécut en fils sans histoires. Le second événement crucial de son existence de fils fut sa propre mort. Le premier avait eu lieu dans un champ de Plaisir, par un matin de mai, par un vilain printemps.

**Johan-Frédérik Hel-Guedj**

■ **JOHAN-FRÉDÉRIK HEL-GUEDJ a publié une première nouvelle, *Désaccoutumance*, dans la NRF de décembre 1996.**

# ANNE GODARD

# FAUX DIALOGUE
# (AVEC OPINEL)

S'il te plaît, ne me regarde pas pendant que j'appuie le couteau, ça va gicler. Mais non, t'inquiète pas, je vais pas couper la tête, elle va pas tomber, juste la grosse veine sur le côté, on va même pouvoir continuer à parler, mais je devrai bientôt m'allonger sur le lit, parce que je vais avoir la tête qui tourne. Ça n'empêche pas qu'on discute. T'as mis le baquet pour le sang, parce que maman aime pas quand le parquet est tout taché. Je crois que le couteau est en train de pénétrer, c'est marrant comme on sent rien quand on coupe franchement, alors qu'une égratignure, ça fait tellement plus mal. Il faut reconnaître que mon opinel coupe spécialement bien. Juste après, c'est chaud, ça j'aime quand mon sang coule, on dirait pas que c'est si chaud et si épais et que ça coule autant. La veine, c'est vraiment beaucoup mieux que l'artère, ça coule plus doucement et on peut faire durer. Après, quand ça commence à sécher, c'est bien aussi, ça se craquelle, ça fait comme de la terre sèche. Là, par exemple, sur ma joue, j'en ai mis avec mes doigts, ça dessine la marque de ma main et ça tire un peu comme si c'était un coup de soleil. Ça me rappelle quand je m'enduisais la main de colle en primaire. Ça y est, il faut que je m'allonge, je commence à voir trouble, j'ai pourtant pas perdu tant de sang. Je devrais avoir l'habitude maintenant, mais c'est toujours une surprise, le moment où on tient plus debout et il faut s'allonger. Je mets pas la tête vers le bas, sinon ça coule trop dans ma bouche. Avec les murs, ça fait joli, non, ce bleu roi avec le rouge, on dirait un décor, très gai, mais c'est un peu une fête il faut dire, je ne me permets pas ça tous les jours. Ça faisait un an et demi tu vois, ça va vite, faut dire qu'avec les séjours à l'hôpital puis les maisons de repos, ça passe vachement vite une année. Mais là, c'est marrant, j'ai vraiment pas vu le temps passer. La fois d'avant ça m'avait paru plus long, mais faut dire que j'avais été remis d'aplomb très vite. Et puis, j'oubliais, j'avais été interrompu plus tôt, avant d'avoir perdu connaissance. La dernière fois, c'était vraiment très réussi, j'avais fait ça autour de mardi gras et tout le monde avait cru à une bonne farce, enfin, ils avaient bien apprécié la mise en scène, ils avaient trouvé ça très spectaculaire. Là, avec le baquet, ça sera moins drôle, mais je me suis rendu compte que ça faisait trop de travail pour maman après, et puis, à force, ça pénètre dans le bois du parquet et il est plus vite saturé, alors ça risque de se répandre dans le couloir et ça pourrait créer des problèmes. Surtout que, tout de suite après, il y a la moquette de la chambre de papa et maman et si on n'arrive pas à le faire partir après et qu'il reste des grosses taches noires, elle va être très fâchée. Et puis, dans le baquet, ce qui est bien c'est que ça va rester rouge plus longtemps. Moi, c'est quand le sang est bien rouge que je le préfère. Pourquoi tu regardes pas maintenant ? Ça y est, j'ai plus l'opinel, je l'ai posé sur la cheminée. Ça te fait peur, ça te dégoûte, mais non, je t'assure, c'est joli ce rouge et puis, tu sais, mon visage devient très pâle et le contraste est en général très réussi. C'est le trou dans mon cou qui te gêne. Mais, en fait, on le voit pas, tu sais, le sang s'épaissit vite et ça fait un caillot, on voit pas de trou. En plus, comme ça fait plusieurs fois au même endroit, j'ai l'impression que ça coagule plus vite qu'avant. Alors, qu'est-ce que tu en penses ? Tu vois bien que c'est pas moche. À t'entendre, on dirait que t'as jamais vu de sang de ta vie, ou je sais pas moi, que c'est monstrueux. Les filles en perdent bien tous les mois du sang, et y a personne qui crie à l'abomination. L'idéal, d'ailleurs, pour moi, ça serait de faire ça plus souvent, le problème c'est la cicatrisation... C'est chaque fois plus long et puis la peau autour devient de plus en plus épaisse. L'embêtant, c'est qu'il faut ouvrir. Mais moi, je m'en fiche, enfin, je veux dire, j'y tiens pas plus que ça, à ouvrir, ce que j'aime le plus, c'est quand il y en a beaucoup qui coule. Il paraît que les filles ça leur fait mal, que ça fait comme si on arrachait quelque chose dedans et qui s'accroche, et puis après, ça coule, ça coule. Moi, j'aimerais bien être une fille pour ça. Et puis, quand on est recousu, il y a les fils qui chatouillent, qui picotent dans la cicatrice. J'aime bien aussi, mais c'est très différent, enfin, ça n'a rien à voir avec là maintenant. Quand je suis allongé et que je commence à avoir un peu froid, ça devient moins agréable, en général, c'est là que j'ai comme une sorte de peur. La première fois, c'est à ce moment-là que quelqu'un est arrivé et j'ai perdu mon sang-froid, si je puis dire, je lui ai dit d'appeler un médecin. Maintenant, ce que je fais, c'est que je demande à quelqu'un de rester avec moi, comme toi par exemple, comme ça, en dis-cutant, j'évite ce moment de découragement. Le simple fait de la compagnie humaine, c'est essentiel, n'est-ce pas ? Moi, c'est ce que j'ai toujours dit, rien de tel qu'une personne avec qui dialoguer, pour se sentir moins seul. Bon, c'est vrai qu'ensuite, quand je suis dans le coma, je n'ai plus beaucoup de discussion, et, c'est marrant, parce que c'est toujours à ce moment que l'ami avec qui je discutais appelle le SAMU. Ça doit être angoissant de se retrouver sans interlocuteur tout d'un coup. Tu crois pas que c'est à cause de ça, à cause de l'angoisse de la solitude ? Parce que, sinon, je vois pas pourquoi, j'ai pas mal du tout, je suis bien, tranquille, je ne ressens même plus le froid ; alors, en tout cas, ça peut pas être pour moi. Du moment que j'ai dépassé l'instant de la conscience, je peux pas me sentir mieux. Mais bon, cela dit, je ne me plains pas, j'ai toujours gardé mon amitié à ces gens-là. On peut pas demander à tout le monde de sup-porter de rester seul ; d'ailleurs, c'est pas moi qui vais faire ce genre de reproches, puisque, justement, je recherche la compa-gnie d'un ami. C'est sûr qu'un autre avantage de l'intervention des secours, c'est que je peux recommencer. Mais j'aimerais bien, quand même, savoir ce qui se passe ensuite et puis, sur-tout, ce qui est pas agréable et qui m'enlève toute ma sérénité, c'est les équipes de pompiers, d'infirmiers, etc., ils s'agitent, ils me remuent, me changent de place, me mettent des trucs dans le nez, partout. Ça vraiment, c'est le calvaire. Bon, je te parle pas des visites de la famille ensuite, ils prennent tout au sérieux, ils sont trop susceptibles. Alors je dois toujours promettre que je vais pas recommencer ; enfin, maintenant, je pense qu'ils n'y croient même plus. Mais c'est pour eux que je soigne la présentation, parce que je sais que ça leur en a fait un choc, la première fois. J'avais pas prévu le coup, j'étais tombé par terre, il y en avait eu dans mes cheveux, et puis ça jurait avec mes vêtements : j'avais un pull rouge vermillon, alors c'était horrible. Je comprends qu'ils en aient gardé un souvenir pénible. Depuis, je fais très attention aux couleurs, aux contrastes, pour qu'il n'y ait pas des trucs qui jurent avec le sang. J'essaie de donner à l'ensemble une unité, que cela respire l'harmonie, que ça soit finalement en accord avec le bien-être extrême du coma qui est si merveilleux et que je voudrais tant partager avec ceux que j'aime. Et d'ailleurs, je pense qu'il n'y a rien de mieux contre le stress, de faire ça régulièrement. Je ne sais pas pourquoi, jusqu'à présent, ça a toujours occasionné des tensions avec eux. Enfin, on peut pas trop demander aux gens. Moi, je sais que c'est une famille avec beaucoup de préjugés et c'est, sans doute, difficile pour eux de s'en dégager. J'essaie de les accepter comme ils sont. De mon côté, j'espère qu'ils m'acceptent aussi tel que je suis, avec mes petits défauts. Bon et puis, surtout, j'évite de leur créer des ennuis, comme une fois où je m'étais mis à hurler, ça avait fait tout un scandale dans l'immeuble. Alors que là, je ne gêne personne et puis, comme je te le disais, je fais tous mes efforts pour que ça ne donne pas du travail supplémentaire de nettoyage ensuite. Et même, maintenant, je range parfaitement ma chambre avant, d'abord pour l'esthétique, comme je le disais, mais aussi pour que ça ne soit pas à ma mère de le faire à ma place. En plus, je pense à cacher les choses précieuses, parce que, avec les infirmiers, on ne sait jamais. Je fais attention, je range certains objets dans des tiroirs fermés à clé. C'est sûr, ça demande tout un travail de préparation, c'est pour ça que ça ne s'improvise pas d'un coup, sans réfléchir. Et puis comme je te l'ai dit tout à l'heure, les suites sont assez longues, donc, si c'est un peu raté, s'il y a trop d'à-peu-près, c'est tant pis, il faut attendre au moins un an avant de pouvoir recommencer et c'est toujours une période difficile. Qu'est-ce qu'il y a ? Tu n'arrives plus à entendre ma voix. C'est mieux comme ça ? Ça veut dire que je vais bientôt perdre conscience, d'abord il y a un affaiblissement des perceptions et des moyens d'expression. D'ailleurs je n'arrive plus vraiment à voir où tu es. Bouge un peu, pour que je voie où tu te trouves dans la pièce, ou viens plus près. Non, tu as peur. Oh, écoute, tu n'es pas sympa, je t'avais dit comment ça se passait et tu m'avais répondu que ça ne t'impressionnait pas. Ah non, là c'est trop facile, de dire que tu croyais que je plaisantais. Prends tes responsabilités, mon vieux. Bon, alors, tu viens plus près. Ah, là c'est bien, je te vois, enfin, l'expression de ton visage est floue, mais je perçois ta présence. Je ne vais pas avoir besoin de forcer ma voix. Dis-moi si le sang a complètement arrêté de couler ou pas. Ah, d'accord. De toute façon, avec ce que j'ai perdu, c'est bon, pour le coma, je ne m'inquiète pas. Tu sais, j'ai oublié de préparer une couverture. Tu peux chercher dans la commode un gros pull. Normalement, il y en a un en laine grise, à côtes, c'est joli le gris avec le rouge et le brun. T'as trouvé ? Merci, surtout sur les jambes, s'il te plaît. Comme ça, il n'y aura pas de sang dessus, ça sera juste mis en valeur, mais ça ne risque pas de le salir. Je te fais confiance, parce que, là où j'en suis, je ne distingue plus les couleurs. C'est dommage, en plus, ça doit être très paisible comme spectacle. Non, tu ne trouves pas. Tu es difficile, je ne sais pas ce qu'il te faut, que je suce mon pouce ? Mais je préfère te parler, sinon, je vais sombrer plus vite et, même si c'est agréable, je préfère que dure encore un peu notre entretien. Tu m'es vraiment très sympathique, c'est dommage que nous ne nous soyons pas mieux connus. Enfin, les amitiés réservent tant de déceptions. Ah oui, une dernière chose, quand tu partiras, n'oublie surtout pas de bien claquer la porte d'entrée, elle est assez dure, et si on ne le fait pas bien, elle se ferme mal et n'importe qui peut entrer, juste en poussant un peu le battant. J'ai promis à maman de toujours faire attention à bien la fermer et j'ai oublié de te montrer, tout à l'heure, avant qu'on vienne s'installer. Fais-y vraiment attention, sinon, tu ne la connais pas, mais elle peut très mal réagir et faire une bêtise. Je sais, c'est pas normal sa réaction, elle est trop impulsive, pourtant, elle travaille sur elle-même, elle essaie de progresser pour être plus normale, mais c'est parfois trop difficile pour elle, alors elle a des crises de temps en temps. Bon, j'espère que ça va pas se produire avec la porte cette fois-ci, parce qu'elle risque de t'en vouloir comme c'est pas permis et, après, elle voudra plus que je te revoie. Tout ça pour une porte mal fermée, mais il faut la prendre comme elle est. On y peut rien si elle est bizarre. Il faut être très patient avec elle, le docteur l'a dit, et il faut lui éviter toutes les situations qui risquent de la mettre dans un état incontrôlable. D'ailleurs, toute la famille prend exemple sur moi, maintenant, tout le monde fait des efforts pour bien ranger sa chambre, pour participer à la vaisselle, tout ça, et c'est vrai qu'elle va mieux qu'avant. Enfin bon, tu ne la connais pas. Oh, je commence à avoir du mal à articuler, tu arrives encore à me comprendre ? Non, ça ne m'étonne pas. Bon, ben là, je crois que ça y est. Je le sais parce que je deviens presque sourd aussi. Tout est comme dans du coton, c'est un des moments les meilleurs, même s'il y a déjà une petite nostalgie parce que c'est bientôt fini et il faudra que j'attende au moins l'année prochaine. Allez, ça m'a fait plaisir de discuter avec toi, on a passé un très bon moment, alors n'oublie pas la porte hein, il faut bien la claquer.

**Anne Godard**

■ ANNE GODARD a vingt-cinq ans, cette nouvelle est sa première publication.

# RENÉ AÏD

# MA COUR INTÉRIEURE

J'habite un appartement au rez-de-chaussée d'un immeuble du centre-ville. La porte-fenêtre du salon donne sur une cour où je suis le seul à pouvoir me rendre. Je ne m'en sers que pour faire sécher mon linge quand il fait beau. Souvent, en été, j'ai éprouvé le désir de venir y lire un livre ou d'y souper avec des amis. Mais son manque d'intimité m'en a toujours dissuadé. Les fenêtres des cinq étages de façades noirâtres qui l'encerclent auraient une vue imprenable sur le sujet de mes lectures ou le contenu de nos assiettes. Cette crainte n'est pourtant pas justifiée. Il est rare d'apercevoir derrière ces vitres une simple silhouette.

Pourtant, un jour, c'est tout un corps que j'ai découvert dans cette cour. En mon absence, le retraité du cinquième était venu s'y jeter.

C'était l'été. L'après-midi était chaud et le ciel dégagé. Je suis rentré plus tôt pour faire une lessive que je remettais depuis plusieurs jours au lendemain. Au moment d'étendre le linge, j'ai voulu sortir préparer le fil. J'avais ouvert la porte-fenêtre et j'allais en franchir le seuil, quand j'ai vu, qui dépassaient du coude que dessine l'entrée de la cour, les pieds chaussés d'un homme couché.

J'ai compris aussitôt. La position du pied, le côté de la plante parfaitement dans l'alignement du sol, ne m'a pas laissé le moindre doute. Presque sans frémir, j'ai renoncé à étendre le linge. J'ai refermé la porte et, sans courir, je me suis dirigé vers le téléphone pour appeler les pompiers.

J'ai expliqué au standardiste que quelqu'un venait de sauter par une fenêtre et de tomber chez moi.

– Est-il mort ? a demandé la voix masculine sans trembler.

– Je pense. Il ne bouge plus.

– Je vous envoie du monde, a conclu l'homme.

Il m'a recommandé de ne pas toucher au corps. J'ai dit oui, soulagé que l'on me dicte mes actes. Je me suis installé sur le canapé. J'étais anxieux comme avant une opération de chirurgie.

Alors, je me suis souvenu de la seule fois où j'avais assisté à quelque chose de semblable. C'était aussi l'après-midi. Je me trouvais dans le hall d'une cathédrale visitée par des dizaines de touristes. J'imagine que cette partie d'une cathédrale doit porter un nom plus liturgique mais je ne sais pas lequel. J'allais sortir de l'église, quand j'ai entendu un grand bruit. D'abord, j'ai pensé qu'une des planches des échafaudages qui entouraient la cathédrale venait de tomber. Mais, au pas suivant, j'ai compris qu'il s'agissait d'un suicide. À quelques mètres devant moi, gisait un couple. Un homme et une femme venaient de tomber de l'une des tours. Leurs corps s'étaient écrasés sur le parvis en rendant ce fracas. Ils n'avaient pas crié et, à terre, ils se tenaient encore par la main. Tout autour, la foule des touristes et des passants n'avait pas encore réagi.

La cathédrale présentait une seconde sortie, symétrique de la première. Je suis revenu sur mes pas et j'en ai pris le chemin. Je ne voulais pas en savoir plus. Le détail de leurs membres désarticulés me restait déjà péniblement devant les yeux. Par contre, certains ne pensaient ni ne réagissaient comme moi. Des filles impubères ont fondu en larmes. Elles sont venues se jeter dans les bras de leur mère qui les a serrées contre elle comme une nichée de moineaux. Maquillées, deux autres filles, dont les seins tendaient les justaucorps, ont souri. Quand je suis passé à leur hauteur, j'ai entendu un gloussement et l'une dire à l'autre en l'entraînant dehors :

– Viens, on va voir.

Mais un adulte sec commençait déjà à repousser les gens à l'intérieur de la cathédrale et frustrait par là même les deux adolescentes du spectacle. Quant à moi, je suis sorti de l'autre côté, satisfait de n'avoir pas eu à me confronter à lui. Pendant que je faisais un grand détour pour éviter de me rapprocher de la scène du drame, la foule avait perdu son indolence. Animée d'une volonté unique, elle s'accumulait contre le cordon de sécurité dressé par les gardiens de la paix autour des deux corps. Et, c'est sous un ciel ensoleillé que j'ai repris la visite de la ville, sans comprendre ce qui venait de se produire devant moi, autour de moi et en moi.

Pas plus quand je marchais dans les rues qu'assis sur mon canapé, je ne me suis demandé pourquoi par deux fois j'avais rebroussé chemin en découvrant ces formes couchées. Au moment où je sortais de la cathédrale, l'homme sec se trouvait encore derrière moi. Personne n'aurait pu m'empêcher de traverser le parvis et de voir ce que ma position me cachait, leurs visages.

Au lieu de cela, j'ai pensé à la défenestration. Je sais, pour me l'être fait expliquer en cours de biologie, qu'au contraire de ce que voudrait l'imagination, quand il heurte le sol, le corps ne se démembre pas. Pour figurer l'impact d'un défenestré, une image d'un film policier montre une pastèque explosant sur le trottoir. Notre professeur nous avait expliqué qu'il aurait été plus judicieux de la remplacer par un sac fermé plein de vaisselles en porcelaine. Bien qu'entièrement brisé, le corps ne meurt pas de ses fractures, mais d'hémorragies internes. Il laisse échapper très peu de sang. Parfois par les narines ou par la bouche, un mince filet reflue des poumons. En revanche, la rupture de l'aorte est fatale. Sous l'effet du choc, elle casse comme un vulgaire tube de verre. Si elle était plus souple, il faudrait tomber de plus haut pour être sûr que la chute soit mortelle.

J'ai bien tourné encore quelque temps autour de cette idée. Mais, une fois rongée jusqu'à l'os, elle n'a plus rien laissé en moi qu'un trou noir, aussi angoissant et riche de possibles que l'écran d'une télé éteinte. Alors, du long silence qui refusait d'être brisé par l'arrivée salvatrice des pompiers, je me suis entendu dire qu'il était à mon entière disposition, que, cette fois, je pouvais à loisir observer le cadavre.

Aussitôt, le souvenir des deux adolescentes s'est dressé devant moi comme une mise en garde. Mais, contre quoi ? Quelle règle ou quelle loi allais-je enfreindre en m'approchant du corps ? Nulle part il n'était écrit que je serais justiciable d'avoir assouvi ma curiosité morbide. Jamais je ne m'étais entendu dire que ce serait manquer de respect au mort. Cependant, si raisonnables qu'elles puissent être, ces affirmations ne m'empêchèrent pas d'être pris d'un irrépressible tremblement nerveux et d'un absurde claquement de dents. Je me sentais comme un enfant craignant d'être surpris en train d'espionner, par le trou de la serrure de leur chambre, ses parents.

Sans autre argument que cette peur, j'ai résisté au désir d'aller le voir avant l'arrivée des pompiers, seul à seul. Comment ne pas céder à une situation aussi rare ? Si la télévision et le cinéma offrent à ma curiosité des charniers entiers, simulés ou réels, voir mourir quelqu'un en vrai, ou, à défaut, en voir le cadavre constituent des expériences si peu courantes qu'elles en deviennent des aubaines.

Et, comme les bulbes des tulipes attendent un climat propice pour germer, toutes les questions qui ne s'étaient pas posées la première fois semblaient maintenant fleurir en moi. D'abord, les problèmes de médecine légale et ses préoccupations toutes physiologiques sur les dégâts causés par la chute. Ensuite, les délires sur l'odeur particulière du mort, sur le contact de sa peau. Enfin, l'énigme de mes réactions devant son visage. Mais d'une façon qui aujourd'hui m'étonne encore, à aucun moment je ne me suis demandé qui il pouvait être, comme s'il était évident que je ne le connaissais pas.

Je me suis levé et, à demi somnambule, j'ai fait un pas vers la porte-fenêtre. J'ai été aussitôt arrêté par l'idée qu'un voisin pourrait me voir reluquer le mort. Le pâté de maisons était pourtant désert. Et personne ne devait prêter beaucoup d'attention à ma cour puisque j'avais été le premier à me rendre compte qu'un corps gisait là depuis peut-être des heures. Comme je n'avais pas entendu sa chute, il pouvait bien s'être suicidé le matin même, juste après mon départ. Debout, immobile au milieu du salon, j'ai pensé que je pourrais me contenter de regarder par la fenêtre. J'allais tirer le rideau, quand on a sonné. Ne sachant plus ce que je désirais le plus, voir le mort ou en être débarrassé, je suis resté un instant interdit, avant d'aller leur ouvrir.

Je m'attendais à une troupe de pompiers intrépides et je suis tombé nez à nez avec des agents de police. Sous l'effet de la surprise, j'ai senti mes genoux mollir.

Ils étaient nombreux. Je ne sais combien d'entre eux sont entrés et sortis de chez moi, ce jour-là. Certains portaient l'uniforme bleu gendarmerie des gardiens de la paix, d'autres une sorte de tenue de combat. Un inspecteur en civil donnait des ordres. Il m'a demandé de le conduire à l'endroit où se trouvait le corps. Très vite, à mesure que la compagnie entrait dans mon petit appartement, qu'elle envahissait la pièce en regardant partout autour d'elle, la confusion m'a gagné. Sans raison, je me suis mis à craindre leurs questions. Je souhaitais qu'ils l'emmènent le plus vite possible hors d'ici, qu'ils m'en débarrassent comme l'auraient fait les pompiers.

Ils sont passés dans la cour. En retrait, appuyé contre le rebord de la cuisinière, en face de la porte-fenêtre, je les écoutais échanger des commentaires sur le mort. Un policier est venu me demander si je le connaissais. J'ai demandé qui. Aussitôt réalisant la bêtise de ma question, j'ai rectifié que je n'avais pas touché au mort et que je ne m'en étais même pas approché. Je ne sais pas si l'inspecteur a entendu mes paroles, mais il a crié :

– Que le témoin vienne identifier Prospère !

Toutes les pensées que j'avais eues avant qu'ils n'arrivent refluèrent dans ma gorge pour m'étouffer. Comme je ne bougeais pas, le policier m'a pris par le bras et m'a donné une légère impulsion qui m'a sorti de ma paralysie. Près d'eux, le cercle qu'ils avaient formé autour du corps s'est ouvert pour me faire une place. Malgré l'angle peu courant, je l'ai reconnu. J'ai eu un court geste de recul, comme on retire ses doigts d'un plat trop chaud.

Il m'arrivait souvent de le croiser dans le hall de l'immeuble quand je revenais chez moi vers midi et demi. On se gênait un peu pour prendre notre courrier. Nos boîtes aux lettres se trouvaient l'une au-dessus de l'autre. Nous devions attendre que le premier ait fini de refermer sa boîte pour que le second puisse consulter la sienne. Les politesses que nous échangions à ce moment ne me mettaient pas mal à l'aise. Il ne m'était pas antipathique. Devant son corps étendu dans la cour, je me suis souvenu de la dernière fois où je l'avais vu. Je venais d'entrer dans le couloir et il refermait sa boîte aux lettres doucement. Je l'ai entendu prononcer le mot :

– Rien.

Puis, il a pris l'escalier pour monter chez lui.

Quelqu'un avait déjà eu le tact de lui refermer les paupières. Et c'est un endormi que l'on me demandait d'identifier. J'ai tourné la tête. À quelques pas, la jardinière que déjà je n'entretenais plus était livrée à toutes sortes de plantes hirsutes. Certaines desséchées par le soleil, d'autres écrasées par les averses semblaient pourrir sur pied. Le cercle s'est défait. Des policiers se sont collés au mur pour localiser la fenêtre par laquelle il s'était jeté. D'autres cherchaient par terre des indices. Je suis resté à ses pieds un moment qui m'a paru long avant que l'inspecteur ne m'autorise à regagner l'intérieur de l'appartement.

Longtemps, l'agitation n'a pas diminué. Au contraire, elle a gagné tout l'immeuble. Des policiers sont montés au cinquième, ont forcé l'appartement du retraité. J'ai entendu mes voisins de palier qui sortaient de chez eux pour se renseigner. À chaque étage qu'ils traversaient, les gardiens de la paix répandaient une fièvre qui faisait s'ouvrir les portes, les bouches, les yeux avec l'avidité du mal-nourri. J'entendais le remue-ménage qu'ils avaient déclenché et j'ai regardé ma montre dans l'espoir d'y lire quand cela finirait. Mais, au lieu de cela, je me suis surpris à penser que s'il fallait tirer un trait sur la séance de huit heures, rien n'était perdu pour celle de dix.

Puis les choses se sont organisées. Pendant qu'un policier prenait ma déposition, on s'occupait du mort. Un homme en civil est passé avec un appareil photo et un petit pot de peinture. Bientôt, une civière brune est apparue dans mon salon. Comme l'entrée de la cour fait un coude assez anguleux et que la porte-fenêtre ne peut s'ouvrir en entier, il n'a pas été facile aux infirmiers de dégager le corps. Ils ont dû incliner la civière et, un instant, j'ai cru qu'ils allaient le renverser. Une fois le corps emporté, la police a commencé à refluer doucement, en jetant un dernier coup d'œil aux illustrations épinglées aux murs. Dans la cour, elle avait laissé une trace à la peinture blanche qui me prouvait que quelque chose était arrivé.

L'appartement est redevenu calme, d'un silence sans faille, lui qui déjà au naturel est tranquille comme le fond d'un puits. Un instant, j'ai cru que le contraste avec le bruit aurait dû me faire pleurer. Bien que n'étant pas dans mon état normal, aucune larme ne voulait jaillir de mes yeux.

Je ne tenais pas en place. Je suis bien resté quelques minutes à côté du téléphone, espérant qu'il sonnerait, n'osant appeler personne, mais très vite, j'ai eu envie de sortir. Je comptais sur le cinéma pour m'apaiser. J'ai choisi de revoir une reprise en noir et blanc. Avant la séance de dix heures, il restait encore du temps à tuer. Je l'ai passé à arpenter les rues de mon quartier. Mais, malgré le film, ma nervosité ne m'a pas quitté. Et j'ai passé une nuit agitée, moins à cause de l'image du visage pétrifié du retraité que de l'attente impatiente du sommeil et de l'oubli qui l'accompagne.

Le lendemain, au travail, le récit du suicide suscita l'intérêt de mes collègues. Je les laissais me tirer les vers du nez pour prolonger la pause. Leur curiosité réclamait des détails insensés. À eux, il fallut que je décrive le physique des policiers et que j'invente une explication au nom « Prospère ». Peu à peu, la conversation a tourné aux plaisanteries.

À midi, quand je suis repassé chez moi, je croyais la page tournée. Je croyais qu'à nouveau je marchais sous un ciel ensoleillé. Dans ma boîte aux lettres, se trouvait une enveloppe vierge non cachetée. À l'intérieur, sur un carton bristol, signé du nom du retraité décédé la veille, étaient écrits ces mots : *Je vous pris de bien vouloir m'excuser du dérangement que je vous ai occasionné. Je voulais éviter qu'en tombant côté rue ma chute ne provoquât un accident ou un attroupement.*

Au contraire de la langue, la graphie était sobre. Les lettres étaient tracées pour pouvoir être lues séparément les unes des autres, et ne laisser aucune ambiguïté. Malgré moi, j'ai remarqué la faute commise sur le verbe « prier ». Je ne savais pas si je devais déchirer et jeter cette lettre ou si, au contraire, je devais la garder. Je suis resté tout l'après-midi sur le canapé sans pouvoir me décider.

**René Aïd**

■ **RENÉ AÏD a publié une autre nouvelle, *Le Nom*, dans la NRF de mars 1996.**

Chroniques
Chroniques
Chroniques
Chroniques
Chroniques
Chroniques
Chroniques

## Chroniques

**MARIO VARGAS LLOSA**

LE SPEAKER ET LE DIVIN MARQUIS

**BEATRIZ SARLO**

UN PAYSAGE POUR BORGES

# MARIO VARGAS LLOSA

# LE SPEAKER
# ET LE DIVIN
# MARQUIS

Nous étions les hiboux de la Radio-Télévision Française. On arrivait à la tombée de la nuit dans la vieille bâtisse décrépite des Champs-Élysées (on n'en finissait pas de construire la Maison de la Radio), on grimpait dans un ascenseur rhumatisant ou par des escaliers craquants jusqu'au bureau partagé avec les émissions pour l'Espagne, et l'on commençait à traduire les nouvelles que nous apportait un ex-légionnaire qui avait passé sa vie à se battre dans tous les coins du monde sans savoir pourquoi ni pour qui, et qui avait toujours peur de s'enrhumer. Depuis les fenêtres on voyait les gens sortir des cinémas et les prostituées motorisées héler les clients du Fouquet's et de l'Élysée. Peu après minuit le bulletin était bouclé et il nous restait du temps pour prendre un café dans un troquet de la rue Washington où, au milieu de la fumée, des soûlots et du brouhaha, on rencontrait invariablement M'ba, un Sénégalais élégant et souriant qui préparait un dictionnaire de dialectes et était aussi protecteur de ces dames, joueur et maquereau. Là, tandis qu'on avalait, accoudés au zinc, notre petit express, les speakers français qui assuraient le tour de nuit et les émissions pour les *routiers* * faisaient irruption ; c'est probablement là que j'ai vu pour la première fois l'inoubliable Gilbert.

Au moment du *putsch* du quarteron de généraux, à Alger, cette nuit-là nerveuse et peuplée de rumeurs – « les parachu-

---

* Tous les mots en italique sont en français dans le texte. *(N. d. T.)*

tistes sont arrivés à Paris », « les commandos fascistes ont pris Orly » –, Gilbert, le speaker, était au centre du tourbillon et on le voyait aller et venir dans le vieil édifice, bondissant, répandant les nouvelles les plus truculentes, papillonnant ici et là. C'est lui qui affirma, devant un auditoire épouvanté, que les gardes de l'entrée, en tant qu'ex-légionnaires, étaient impliqués dans le *putsch* et que, d'un moment à l'autre, ils allaient monter faire irruption dans les studios et nous menacer de leurs fusils pour nous obliger à lire des tracts subversifs et à crier : « Vive Salan ! »

Nos contacts avec les speakers français étaient rares ; on se disait bonjour dans les couloirs, on parlait de la pluie et du beau temps à la porte des cabines d'enregistrement et on se passait des cigarettes. Mais avec Gilbert on arrivait à avoir un rapport plus étroit et à parler longuement, entre les bulletins d'information, tandis que le technicien passait pour les auditeurs latino-américains inconnus les programmes enregistrés. Là, dans ce vaste, étouffant, poussiéreux studio 43 du troisième étage, Gilbert surgissait généralement sur le coup d'une heure du matin, avec ses verres sombres, ses pulls rouges, camouflé sous son écharpe de grippé qu'il portait même l'été. Petit, ventru, un peu chauve, on le voyait saluer avec d'excessives courbettes les hommes du contrôle, pénétrer dans le studio et s'approcher de nous sur la pointe des pieds, se dandinant et dansant presque, avec un sourire de star croulant sous les applaudissements. Bonsoir, Gilbert, entrez, entrez, asseyez-vous, vous avez déjà expédié votre bulletin ?, prenez une Gauloise. Nous savions qu'il ne fumait pas, mais il était impossible de se priver du plaisir de voir Gilbert reculer en faisant des grimaces de dégoût devant le paquet de Gauloises et entendre ses arguments contre la cigarette : elle esquintait les bronches, provoquait le cancer, était l'ennemi mortel des speakers de radio car elle détruisait la voix, noircissait les dents, donnait mauvaise haleine. Il parlait en agitant avec coquetterie ses petites mains grassouillettes, sa voix était mielleuse comme une valse de Chopin, et entre chaque phrase il faisait des révérences japonaises. On se relayait pour lui porter la contradiction avec les arguments les plus extravagants, et voir s'il sortait un instant de ses gonds ou s'il entrait dans le jeu. Mais Gilbert était incapable de se mettre en colère ou de jouer. L'œil rond et comme hypnotique, il écoutait, réfléchissait, répondait toujours avec un imperturbable sérieux. « Ce n'est pas possible, pensions-nous, il doit bien se rendre compte qu'on le met en boîte. » Rien ne dénonçait quelque ironie ou duplicité chez Gilbert. Ses gestes, ses propos, tout semblait indiquer qu'il prenait fort au sérieux les histoires échevelées qu'on lui racontait, et qu'il croyait, par exemple, que Luis dormait nu sur la neige (« Et vous n'avez pas froid ? » lui demandait-il d'un air inquiet) et que Vera travaillait à la radio pour payer son domestique.

Parfois c'est nous qui allions lui rendre visite à son studio. Il s'avançait pour nous accueillir avec une joie débordante et des phrases courtoises. En homme qui fait visiter un palais, il nous énumérait les charmes de son cagibi décrépit : sa chaise était commode, son tapis moelleux, et quelle bonne lumière pour lire ! Jamais, autant que je m'en souvienne, on ne le trouvait en train de lire (c'est, sans doute, pour cela que je n'ai pu me l'imaginer ce faisant), mais, en revanche, toujours en train de tricoter. En nous voyant entrer, il laissait de côté ses aiguilles, sa pelote et le tricot à moitié fait, mais une fois qu'on était installés, il reprenait son ouvrage et, tout en bavardant, il montait ses mailles rapidement, avec dextérité et conviction. Il ne s'interrompait même pas pour lire le bulletin. Le tricot était, bien sûr, le sujet favori de Gilbert. Il nous exposait minutieusement les mérites de ce passe-temps qui était aussi un art, et même, si on le voulait bien, une passion : il distrayait de la routine, il passait le sommeil et puis on faisait des économies, vu le prix astronomique des vêtements de laine en France. Pourquoi n'apprenions-nous pas ? Il nous renseignait : voilà le point à l'envers, et voilà ce qu'on appelle le point de côtes ;

ces chaussettes étaient pour son petit-neveu. Si loquace, si volubile, cet homme était pourtant mystérieux : nous savions seulement qu'il était speaker à la radio, qu'il aimait tricoter, qu'il parlait un français très affecté et qu'il attendait avec impatience sa mise à la retraite.

Lorsque enfin fut achevée la Maison de la Radio et qu'on s'installa dans cette sorte d'arène du Quai de Passy, avec ses couloirs en rond, ses froides pièces aux murs et bureaux métalliques, et ses studios de science-fiction, et qu'on cessa de voir les ex-légionnaires, les noctambules et les proxénètes de la rue Washington, ce fut aussi, presque, comme si nous avions pris congé de notre ami Gilbert. On ne pouvait plus se rendre visite d'un studio à l'autre, entre chaque bulletin d'information : en quelle île de cet archipel lirait-il les nouvelles, en quel petit cube de cette glacière l'avait-on plongé ? De loin en loin pourtant, on apercevait le pull rouge et l'écharpe de Gilbert à l'aube quand prenait fin le travail et dans les camionnettes du personnel : il nous faisait signe de la main, on se reverrait bien, on chercherait à se voir.

J'avais probablement oublié Gilbert, cet automne, quand l'éditeur Jean-Jacques Pauvert (« spécialiste de la pornographie et du blasphème », comme l'immortalisa François Mauriac) publia une nouvelle édition, corrigée et généreusement augmentée, de la meilleure biographie du marquis de Sade : celle de Lely. Les journaux et revues parlèrent beaucoup du livre et je me rappelle avoir lu l'interview de l'auteur publiée dans *L'Express* sans me rendre compte de rien. Ce n'est que quelques jours après qu'un technicien entra dans le studio, tout excité, et nous montra la photo illustrant l'interview : oui, l'auteur était Gilbert. L'érudit de la littérature maudite du XVIIIᵉ siècle, l'auteur du prologue, des notes et l'éditeur de tant de livres du divin marquis, l'infatigable découvreur de textes licencieux, l'artisan scrupuleux de cette volumineuse biographie, c'était notre ami Gilbert. J'en fus fasciné, la tête me tourna. Des années plus tôt, à Lima, lorsque je croyais que le célèbre marquis représentait la forme la plus audacieuse de la révolte humaine et que je n'avais pas encore découvert la rigidité et la monotonie du genre libertin, et comme quelqu'un qui va à la messe je me rendais dans les bibliothèques pour lire *Justine* ou *Les 120 journées de Sodome,* le nom de Gilbert Lely m'était familier : il apparaissait dans les préfaces de ces livres clandestins, au pied de ces gloses sataniques. Je l'imaginais comme un vieux professeur aux cheveux blancs et voûté fouinant dans les manuscrits de l'Enfer à la Bibliothèque nationale, ou comme un surréaliste animateur de sociétés secrètes et de *partouzes.* Comment aurais-je pu imaginer que c'était vous, Gilbert mon ami ? Bien souvent, après avoir découvert votre secrète identité, j'ai pensé vous chercher et vous parler de cela, mais, vous voyez, je ne l'ai pas fait et maintenant nous ne nous reverrons probablement jamais. Voici peu j'ai vu, en vitrine, une traduction en anglais de votre biographie du Marquis et je vous ai revu avec votre pull rouge et votre écharpe, tricotant des chaussettes devant les micros de l'ORTF, vous faisant mettre en boîte par quelque présentateur du service de nuit, livré à cette simulation machiavélique de l'idiotie, et j'ai éprouvé, tout à la fois, de l'admiration et de l'horreur pour vous. Si vous le saviez, je suis sûr que vous ne seriez pas fâché de provoquer pareil sentiment, mais, bien sûr, comment diable le sauriez-vous, luciférien Lely, notre speaker Gilbert ?

**Mario Vargas Llosa**

Traduit de l'espagnol par
**Albert Bensoussan**

■ **Cet article de Mario Vargas Llosa est tiré du troisième volume de *Contre vents et marées*, à paraître chez Gallimard.**

# BEATRIZ SARLO

# UN PAYSAGE POUR BORGES

## LITTÉRATURE ET VILLE

Dans les premières décennies de ce siècle, l'imagination urbaine a dessiné maints schémas de cité : « les rivages » de Borges, lieu indéfini entre la plaine et les dernières maisons, auxquels on accédait depuis la ville, encore trouée de terrains vagues et de patios ; la ville ultra-futuriste d'Arlt, bâtie sur le brassage social, stylistique et moral, où la fiction découvrit une modernité qui matériellement n'existait nullement ; les cartes postales et les instantanés Kodak de Girondo, où la surface de la ville se désarticule en brusques illuminations et signes sténographiques.

Mais remontons le temps. Au XIXe siècle, la littérature argentine a abordé la ville à partir de ce qui n'était pas encore une ville. Les romantiques imaginèrent une cité composée à peine de quelques baraques, de deux églises et d'une mairie : Buenos Aires, minime hameau. Dehors, le désert entourant la ville, non comme paysage enchanteur ou sublime, mais comme menace anticulturelle qu'il fallait exorciser. Le romantisme français, les langues étrangères, les livres de philosophie politique furent les instruments de cette coupure qui, dès lors, s'installa dans la culture argentine.

La ville n'a pas été seulement un thème politique, comme dans certains chapitres de *Facundo,* ou une scène où les intellectuels découvraient le brassage qui définit la culture argentine, mais aussi un espace imaginaire que la littérature désire, invente, occupe. La ville suscite débats historiques, utopies sociales, rêves irréalisables, paysages artistiques. La ville est le théâtre par excellence de l'intellectuel, et les écrivains tout comme leur public sont des acteurs urbains.

Quand il écrit *Facundo*, Sarmiento ne connaît pas Buenos Aires. Il écrit sur ce qu'il n'a jamais vu : armé de livres, de témoignages de voyageurs et de ce qu'il a entendu dire, il aborde la cité de l'extérieur, depuis des villes étrangères ou imaginées. Pour Sarmiento, ville et culture, ville et république, ville et institutions sont des synonymes liés par un rapport formel et conceptuel infrangible. Il croit que la vertu est dans la ville et que la ville est le moteur expansif de la civilisation. L'immensité rurale est despotique, le regroupement urbain accouche de la république. Volontariste et créateur en imagination de la société à venir, Sarmiento prophétise une ville et une culture dont s'approche Buenos Aires seulement un demi-siècle après.

Parallèlement, la littérature gauchesque expose un avis différent : c'est de la ville que vient le mal qui altère les rythmes naturels d'une société plus organique. La ville est aux antipodes des temps utopiques de l'âge d'or (évoqué dans *Martín Fierro*, et récupéré ensuite par Güiraldes dans *Don Segundo Sombra*) et de l'étendue pampéenne où le gaucho subit l'injustice que la ville a installée aux champs. Quoique primitive, la société rurale est intégrée : à l'inverse, la ville incite au tourbillon de l'explosion individualiste, mercantile, matérialiste, bref tout ce qui intéresse les lettres modernes.

La littérature de Buenos Aires ne se libère pas aisément de ces marques fondatrices. L'imaginaire urbain domine la culture du Río de la Plata de ce siècle. Même les écrivains privilégiant le thème rural comme contenu explicite s'alignent sur ce puissant centre d'irradiation symbolique qui suscite les passions propices à la fiction : la corruption qui depuis la ville se répand sur la campagne en scandalisant sa morale et en perturbant les subjectivités ; le désir de ville qui perd les femmes des infimes bourgades ; la ville perverse qui trouve dans la campagne une extension de sa cupidité et de ses pulsions ; l'écrivain sceptique ou désabusé qui se réfugie dans l'utopie rurale qu'il approche par l'esthétique moderne ; l'héritier d'une tradition qui aux champs trouve trace de valeurs et de savoirs perdus.

La ville n'est pas le contenu d'une œuvre, mais sa virtualité conceptuelle. Tous les détours ruraux de la littérature du Río de la Plata de ce siècle sont produits par la ville et à partir d'elle : on sort de la ville pour écrire sur la campagne. La littérature va aux champs mais vit en ville. Et c'est le régionalisme qui n'appartient ni à la ville ni à la campagne, et ne peut donc être expliqué spatialement mais temporellement, qui nomme ce qui disparaît (les coutumes, le folklore paysan, les vertus traditionnelles) en une langue littéraire obsolète. Borges fait le chemin inverse : il imagine la ville du passé avec le langage d'une littérature future.

Il n'y a (presque) pas de réalisme magique dans la littérature du Río de la Plata, parce que la puissance d'imagination citadine a obturé définitivement l'impulsion mythique paysanne. Une fois clos le cycle des gauchos, la langue de la littérature est urbaine. Je ne me réfère pas à celle des personnages, mais à la langue du narrateur. Ceux-là, à vrai dire, peuvent parler n'importe quelle langue ; à l'inverse du narrateur (la meilleure preuve, la plus saugrenue aussi, en est le narrateur gaucho et symbolique de *Don Segundo Sombra*). Quelles qu'en soient les raisons (mais elles sont assez claires), la langue de la fiction du Río de la Plata est celle des villes. Plus simplement : le narrateur est un villageois qui, s'il choisit de travailler à l'horizon esthétique des parlers ruraux, ne peut éviter dans ce choix la marque de la ville. Dans notre siècle, les gens de la campagne qui écrivent succombent au miroir de la langue urbaine.

La ville est, alors, la condition de la littérature. Même la littérature de la pampa. Les raisons pourraient être cherchées dans l'histoire de ce pays, mais aussi dans celle de la littérature moderne en Occident. Une autre confrontation majeure de la culture argentine (qui, pourrait-on dire, la parcourt de bout en bout) est l'opposition de l'espace national à l'espace européen. Et pour les écrivains argentins, l'Europe c'est la ville.

La campagne peut être un sujet, mais (sauf dans la littérature des gauchos) les formes littéraires présupposent la ville : l'écrivain consommé, le public que la ville construit, l'industrie culturelle. Les différentes poétiques (même les poétiques « créolistes » du XXᵉ siècle) sont urbaines. Les mythes le sont également : la campagne comme lieu de l'origine nationale est un mythe urbain. Le gaucho en tant qu'archétype national est une idée de Ricardo Rojas et de Leopoldo Lugones qui, au centenaire de l'Indépendance, empruntent la parfaite invention de José Hernández (le *Martín Fierro*), quand la ville propose aux intellectuels l'énigme de ce que sera ce pays et les intellectuels décident d'y répondre par cette hypothèse culturelle fondée sur la poésie gauchesque.

D'un autre côté, les utopies rurales ne sont pas une littérature de paysans mais de citadins qui trouvent dans les champs un motif de rêverie ou une communauté de valeurs qui dans la ville moderne s'est à jamais brisée. À la limite, vue depuis la ville, la campagne est l'*exotique national* : aux champs, la littérature trouve le différent, un territoire presque étranger, aventurier, voire héroïque, à portée de main. Ou un espace de mythes culturels, où l'on peut inventer des traditions sur la base d'un bricolage d'éléments séparés de leur origine campagnarde. La campagne est à la fois le passé immédiat et le radicalement Autre de la ville : par conséquent, un espace bien préparé à l'exotisme.

La ville est un lieu de production formelle et mythologique : la culture de masses, la politique, la mode, le ragot, les rumeurs, les passions et les astuces de la ville sont la matière de la littérature. La fiction du Río de la Plata parle ces langues. Quand la littérature visite la campagne, elle le fait avec un savoir urbain qui lui permet d'y trouver l'églogue, la légende, le « bon sauvage », ou une occasion de parodie qui coupe le récit urbain en s'appropriant les voix rurales. La ville produit les genres et le travail sur les genres (y compris ceux d'origine rurale). Aussi pourrait-on dire que la ville donne une forme à la littérature.

Le *désir de ville* est plus fort, dans la tradition argentine, que les utopies rurales. Dans ce sens, les écrivains du premier tiers du XXᵉ siècle s'inscrivent mieux dans le paradigme de Sarmiento que dans celui de José Hernández. Les seules exceptions sont Ricardo Güiraldes, un ruraliste cosmopolite (pour contradictoire que semble la formule) et Borges qui a inventé les images d'un Buenos Aires qui disparaissait définitivement et qui a relu le passé rural de l'Argentine. La littérature de Borges, dans les années vingt, surgit dans cet espace de l'imagination.

## BUENOS AIRES COSMOPOLITE

Quand Borges rentre d'Espagne, en 1921, Buenos Aires entre dans une décennie de changements vertigineux : la ville de l'enfance recoupe seulement en partie celle qui se bâtit. Il doit la récupérer (comme il le dit alors) après sept ans d'absence : récupérer, dans un Buenos Aires transformé, la ville de ses souvenirs et les récupérer aussi face à un modèle qui change. Borges devait se rappeler la part oubliée de Buenos Aires à un moment où elle commençait à disparaître matériellement. Cette expérience trouve son ton prophétique : la nostalgie de *Ferveur de Buenos Aires.*

Il ne s'agissait pas, à Buenos Aires, seulement de modernisation économique, mais de modernité comme style culturel pénétrant le tissu d'une société qui lui était acquise. L'impact des processus entrepris au dernier tiers du XIXᵉ siècle avait altéré le profil, l'écologie urbaine et le cadre d'expériences de ses habitants. Ville et modernité vont de pair, car la ville, scène des changements, les exhibe ostensiblement, voire brutalement, les diffuse et les généralise. Modernité, modernisation et ville apparaissent entremêlées comme notions descriptives, valeurs et processus matériels et idéologiques. La ville a vaincu le monde rural, l'immigration européenne fournit une base démographique nouvelle, le progrès économique superpose le modèle à la réalité. De là l'illusion que le caractère périphérique de cette nation sud-américaine peut être lu comme un avatar de son histoire et non comme un trait de son présent.

En même temps on voit persister, de façon contradictoire mais compréhensible, formation monstrueuse ou inadéquate, l'idée de périphérie et d'espace culturellement tributaire de l'Europe. En 1933, dans *Radiographie de la pampa,* Ezequiel Martínez Estrada condamne une nation qui ne répondait plus aux promesses de ses pères fondateurs : l'immigration massive et la voracité des élites locales avaient fait de l'Argentine une image dégradée de l'Europe. Buenos Aires mettait en scène une mascarade de prospérité et de culture qui dissimulait la nature originelle de la pampa tachée par le génocide indigène et l'humus d'une géologie primitive. C'est également dans les années trente que se constituent, sur Buenos Aires, quelques mythes fortement politiques : la métaphore de la ville-port, par exemple, vidant comme une vorace machine centripète le reste d'un pays sacrifié aux intérêts de son littoral urbain. Comme jamais, les intellectuels éprouvent le désir et la crainte de la ville, et la notion de cité organise les sens de la culture. Ils reconnaissent dans la ville, scène où se poursuivent les fantômes de la modernité, la machine symbolique la plus puissante du monde moderne.

## CONFLIT ET BRASSAGE

Buenos Aires avait poussé de façon spectaculaire dans les premières décennies du siècle et la trace matérielle de cette croissance était visible dans les années vingt. Dans les croisements culturels de la grande ville moderne (modèle dont Buenos Aires cherche à s'approcher alors), toutes les rencontres, tous les emprunts semblent possibles. Le principe de l'hétérogénéité marque la culture. Le caractère socialement ouvert de l'espace urbain rend cette différence extrêmement visible : c'est là que se construisent et se reconstruisent incessamment les limites entre le privé et le public ; là le croisement social établit les conditions du mélange et produit l'illusion ou la possibilité réelle d'ascensions et de chutes vertigineuses ; là les politiques songent à assigner un lieu pour les pauvres et un lieu pour les riches.

Tous envahissent l'espace public, tous considèrent la rue comme le lieu commun, où l'offre se multiplie et en même temps se différencie, mais en montrant toujours face au désir les limites des hiérarchies. Le flâneur observe les changements avec le regard anonyme de celui qui ne sera plus reconnu parce que la ville a cessé d'être un espace de relations immédiates. Il se perd dans ses plis, cherchant ce qui a déjà disparu pour toujours ou devinant, dans la construction matérielle du présent, les profils du futur. Dans ses détours dans les quartiers et le centre, le flâneur traverse une ville désormais définie dans sa configuration matérielle, quoique encore trouée de terrains vagues, d'étendues désertes et de « rues sans trottoir d'en face ».

On perçoit dans la rue le temps comme histoire et comme présent : si, d'un côté, la rue est la preuve du changement, de

l'autre elle peut devenir l'aliment matériel qui fait de la transformation un sujet littéraire. Plus encore, la rue traversée par
l'électricité et le tramway peut être niée, pour chercher derrière
elle le fantôme fuyant d'une rue que la modernisation n'aurait
pas encore touchée, des coins du faubourg inventé par Borges
sous la figure des *rivages,* lieu indécis entre la ville et la campagne. À la fascination de la rue centrale où les aristocrates
côtoient les prostituées, où le vendeur de journaux glisse le
sachet de cocaïne que lui demandent ses clients, où journalistes
et poètes fréquentent les mêmes bars que délinquants et
bohèmes, s'oppose la nostalgie de la rue de quartier où la cité
résiste aux stigmates de la modernité, quoique le quartier lui-
même ait été un produit de la modernisation urbaine :

> « En dépit de l'humiliation transitoire que parviennent à nous infli-
> ger quelques édifices élevés, la vision totale de Buenos Aires n'a rien
> de vertical. Buenos Aires n'est pas une ville hissée et ascendante qui
> inquiéterait la divine limpidité, par la fréquence de ses tours extatiques
> ou par la populace de ses cheminées diligentes. C'est plutôt une trans-
> cription de la plaine qui l'étreint, dont l'aplomb exténué se prolonge
> dans la rectitude des rues et des maisons. Les lignes horizontales ont
> raison des verticales. Les perspectives, en enfilade, des demeures de
> deux ou trois étages confrontés tout au long de lieues de pierre et
> d'asphalte sont trop faciles pour ne pas paraître invraisemblables [1]. »

Cette description de Borges ressortit à une dispute symbolique et à un programme indiquant comment Buenos Aires
doit demeurer égale à ce qu'elle fut jusqu'au début du siècle.
Bien des années après il écrira que « l'image que nous nous
faisons de la ville est toujours quelque peu anachronique [2] ».
Borges construit un paysage non touché par la modernité la
plus agressive, où il reste encore des vestiges de la campagne,
et il le cherche dans les quartiers où cette découverte est une

---

1. « Buenos Aires », *Inquisiciones,* 1925, cité d'après les *Œuvres complètes,* La Pléiade, 1993.
2. « L'indigne », *Le Rapport de Brodie,* Gallimard, 1972.

opération guidée par le hasard et le renoncement délibéré aux espaces où la ville moderne avait déjà établi ses marques :

« Je n'ai pas voulu assigner de but à cette promenade : j'ai recherché une plus grande latitude de probabilités pour ne pas lasser l'expectative par la suggestion contrainte d'une seule d'entre elles. J'ai réalisé dans la mauvaise mesure du possible ce qu'on appelle marcher à l'aventure ; j'ai accepté, sans autre préjugé conscient que celui d'éviter les avenues ou les larges rues, les plus sombres sollicitations du hasard. Malgré tout, une sorte de gravitation familière m'a éloigné en direction de ces quartiers, dont je veux toujours me rappeler le nom et qui sont vénérables à mon cœur [...]. La rue était de maisons basses, et quoi-qu'elle signifiât en premier lieu la pauvreté, elle était bien en second lieu signe de bonheur. Elle était des plus pauvres et des plus jolies. Aucune maison ne se risquait au-dehors ; le figuier obscurcissait l'angle de la rue ; les petits portails – plus hauts que les lignes étirées des murs – semblaient travaillés dans cette même substance infinie de la nuit. Le trottoir était escarpé sur la rue ; la rue était en terre élémentaire, terre d'Amérique pas encore conquise. Au fond la ruelle, déjà pampéenne, s'éboulait sur le fleuve Maldonado. Sur la terre trouble et chaotique, une clôture rosée semblait ne pas abriter la clarté de la lune, mais diffuser une lumière intime [1]. »

L'hétérogénéité de l'espace public (qu'accentuent les nouveaux croisements culturels et sociaux provoqués par le changement démographique) met en contact différents niveaux de production littéraire, établissant ainsi un système extrêmement fluide de circulation et d'emprunt esthétique. Au milieu des années trente, le taux d'analphabétisme des Argentins de Buenos Aires était seulement de 6,64 % : un public émergeait des classes moyennes et populaires stratifiées socialement autant qu'idéologiquement et politiquement ; c'est pour lui qu'on produit une foule de brochures, livres et revues qui offrent

---

1. « Sentirse en muerte », *El idioma de los argentinos* [*La langue des Argentins*], 1928.

littérature de « plaisir et consolation », fiction psychologique et sociale, essais visant explicitement à la propagande et à la pédagogie. Des maisons d'édition à succès, comme Claridad, tirent entre dix et vingt-cinq mille exemplaires de leurs titres les plus marquants, diffusant un peu de tout : romans traduits, essais philosophiques, psychiatriques et politiques, divulgation scientifique, poésie. Ces livres bon marché cherchaient les lecteurs pauvres qui étaient, surtout, les *nouveaux* lecteurs. Ils assuraient une littérature moralement responsable, pédagogiquement utile, économiquement accessible et intellectuellement facile.

Une gauche réformiste et éclectique fonde les institutions de diffusion culturelle (bibliothèques populaires, centres de conférences, maisons d'édition, revues) pour ces secteurs qui restent en marge de la « haute » culture. La problématique de l'internationalisme et de la réforme sociale est posée, pensée comme un processus d'éducation des masses laborieuses en vue de leur intégration à une culture démocratique et laïque qui, sur le plan littéraire, se combine à un système de traductions (du réalisme russe, du réalisme français) et à une poétique humanitariste.

Deux grands journaux, *Crítica* (fondé en 1913) et *El Mundo* (de 1928) créent l'écriture journalistique correspondant à l'expansion du public : nouvelles brèves, grosses manchettes, rubriques spéciales pour les sports, le domaine policier, le cinéma, la vie quotidienne, les femmes et les enfants. En même temps, ces deux journaux nouveaux employaient les écrivains et intellectuels de l'avant-garde (même ceux d'origine patricienne, comme Borges) et de la littérature sociale. Le nouveau journalisme et la nouvelle littérature se recoupèrent de façon fort imprévue : les énigmatiques expériences narratives d'*Histoire universelle de l'infamie* furent publiées d'abord dans un supplément de *Crítica,* le journal le plus populaire de Buenos Aires. Cette rencontre, qui n'est pas fortuite, marque le caractère expansif d'une époque.

Les revues comme *Caras y Caretas* (apparue à la fin du siècle dernier) se modernisent, articulant discours et informations qui présentent un monde symbolique relativement intégré qui fait place au cinéma, à la littérature, à la chanson populaire, aux notes de vie quotidienne, à la mode et à l'historiette. Les feuilletons sentimentaux définissent un horizon désirable, fournissent des modèles de comportement et un idéal de bonheur. Ils travaillent pour un public qui se met à consommer de la littérature et à rêver les rêves modernes du cinéma, de la mode, du confort cosmopolite, de l'univers d'exhibition mercantile des grands magasins, des grands restaurants et des théâtres. Le plaisir est un moteur de cette littérature de kiosques, qui légitime autant la jouissance érotique que le sentimentalisme.

Les producteurs culturels se mélangent aussi et contribuent tant à l'élargissement qu'à l'instabilité du système : emprunts, influences, passages d'un niveau à l'autre, différentes interpellations de lecteurs aussi diversement variés sur la carte de la culture. Mais cette même hétérogénéité est perturbatrice. Les grands journaux modernes comme *Crítica* et *El Mundo,* le cinéma, les variétés et le théâtre parlent de publics différents, ce qui signifie le transfert à la sphère culturelle de la trame qui articule vieux créoles, immigrants et fils d'immigrants. Ces superpositions, qui éveillent nationalismes et xénophobies, avalisent le sentiment de nostalgie pour une ville qui n'est plus la même en 1920, si on la compare aux images du proche passé.

Buenos Aires peut être lu avec un regard rétrospectif qui focalise un passé plus imaginaire que réel de ville hispano-créole (et c'est le cas du premier Borges) ou découverte dans l'émergence de la culture ouvrière et populaire, qui est organisée et diffusée par l'industrie culturelle, influencée par la radio et le cinéma. Le capitalisme a transformé profondément l'espace urbain et rendu plus complexe son système culturel : cela commence à être vécu non seulement comme un problème mais comme un sujet esthétique, traversé par le conflit de poétiques qui alimentent les batailles de la modernité, certaines d'entre elles développées sous forme d'avant-garde ; le réalisme humanitariste s'oppose à l'ultraïsme, mais aussi des discours de différente fonction (journalistique et fictionnel, politique et essayiste) s'affrontent. La densité culturelle et idéologique du journal est le produit de ces réseaux et de l'intersection de discours d'origine et de matrice différentes (la peinture cubiste ou la poésie d'avant-garde, le cinéma, la musique moderne ou le jazz-band).

Les intellectuels de Buenos Aires ont tenté de répondre, de façon figurée ou directe, à une question qui organisait l'ordre du jour : comment imposer (ou comment anéantir) la différence de savoirs, de langues et de pratiques ? Comment construire une hégémonie pour le processus où tous participaient, avec les conflits et les hésitations d'une société en transformation ? La littérature donne forme à ces questions, dans une période d'incertitudes qui obligeaient à lire de façon distincte le legs du XIXᵉ siècle. Mais la culture de Buenos Aires était, de toute façon, impétueusement poussée par le vent de la nouveauté, quoique de nombreux intellectuels regrettassent la direction ou la nature des changements. C'est pourquoi la modernité a été une scène où se sont également exprimés avec force des sentiments de restauration et de nostalgie.

**Beatriz Sarlo**

Traduit de l'espagnol par
**Albert Bensoussan**

Cet ouvrage a été composé et achevé d'imprimer
le 14 avril 1997
par l'Imprimerie Floch à Mayenne (41165)
Dépôt légal : mai 1997 – Imprimé en France

Nº de commission paritaire : 59245
GÉRANT : ROBERT GALLIMARD

81834